Stefanie Klein
(Hrsg.)

Suppen
aus aller Welt

HÄDECKE

© 2001 WALTER HÄDECKE VERLAG,
71263 Weil der Stadt (für Deutschland)

Midena & Fona Verlag GmbH, CH-5024 Küttigen
Gestaltung Umschlag: Dora Eichenberger-Hirter, Birrwil
Gestaltung Inhalt: Ursula Mötteli, Grafikdesign, Aarau
Foodbilder: Quellennachweis beim Verlag
Einführungs- und Kapiteltitelbilder: HEKS, Hilfswerk der
Evangelischen Kirchen Schweiz, Zürich
Lithos: Neue Schwitter AG, Allschwil
Satz und Digitalvorlagen: Kneuss Print AG, Lenzburg
Druck und Bindung: Neue Stalling, Oldenburg

ISBN 3-7750-0347-9

Abkürzungen

EL	Esslöffel	dl	Deziliter
TL	Teelöffel	g	Gramm
ml	Milliliter	Msp	Messerspitze

Die Rezepte sind, wo nicht anders vermerkt,
für 4 Personen berechnet

Eine Reise in die Suppenwelt

Die Suppenschale auf dem Umschlag, eingebettet in eine globus-ähnliche Struktur, symbolisiert Weltoffenheit und Weltverbundenheit. Schalen sind nicht nur harmonisch, sanft und schlicht, sie passen auch wunderbar in kleine und grosse Hände. Rund um den Erdball sind sie seit Jahrtausenden – selbstverständlich in unterschiedlichen Materialien – unverzichtbares Gefäss, sei es für die tägliche Portion Reis, Mais, Hirse ... oder eine wärmende, kraftspendende Suppe.

Suppen haben in allen Kulturen, ähnlich der Schale, ihren festen Platz. Esstradition und Verfügbarkeit von Grundnahrungsmitteln und Gewürzen sind dabei eng miteinander verbunden. Eine Reise in die Suppenwelt kann zum kulinarischen Spannungsfeld von sanft schmeichelnd bis höllisch scharf werden. Dabei lernen wir auch für unseren Gaumen eher ungewohnte Aromen kennen, schätzen und lieben.

Andere Kulturen – andere Produkte. Das was uns so exotisch anmutet und unseren Gaumen erfreut, sei es Getreide, Früchte, Gemüse, Gewürze usw., stammt häufig aus Entwicklungs- und Schwellenländern. Wir möchten an dieser Stelle keinesfalls moralisieren, sondern ihren Anliegen und Nöten auf dem kulinarischen Weg eine Stimme geben. Mit dem Kauf der Produkte – Fairtrade-Produkte sollten Ehrensache sein – unterstützen wir die Arbeit vieler Menschen, die jeden Tag um ihre Existenz und ihr tägliches Brot kämpfen müssen.

Produkte aus aller Welt

Alfalfasprossen Alfalfa stammt ursprünglich aus dem asiatischen Raum. Lässt sich in unsere Sprache so übersetzen: Gute Nahrung, aber auch Anfang, das Erste, Königin der Ernährung. Alfalfa ist für Babys nach der Muttermilch die beste erste grüne Nahrung. Bei den Indianern war Alfalfa die unbestrittene Kraftnahrung. Sie assen die Sprossen als Gemüse, die Samen mahlten sie zu Mehl und verarbeiteten dieses dann zu Brei und Brot. Die Sprossen enthalten rund 40% Eiweiss, sie sind reich an Vitamin C, Mineralstoffen und lebenswichtigen Aminosäuren. 100 g Alfalfasprossen decken den täglichen Kalziumbedarf eines Erwachsenen. Die Sprossen sind während des ganzen Jahres im Angebot von Grossverteiler und Gemüsehändler. Siehe auch: Zwiebelsprossen.

Amaranth Getreideähnliche Pflanze, die in Zentral- und Südamerika beheimatet ist. Wird heute auch in den USA, in Afrika und in grossen Teilen des Mittleren und Fernen Ostens angebaut. Eine der ältesten kultivierten Pflanzen überhaupt. Amaranth wird als Blattgemüse (wie Spinat) und Körnerfrucht angebaut. Die Samen sind linsenförmig und haben einen Durchmesser von 1 bis 1,5 mm. 1000 Körner wiegen 0,5 bis 1 Gramm. Die Samenfarbe variiert von milchig-weiss über gelb, gold, rot, braun bis zu schwarz.

Ananas Eine der beliebtesten und verbreitetsten Tropenfrüchte. Die ursprünglich aus Brasilien stammende Scheinfrucht gedeiht rund um den Äquator in mehr als 100 verschiedenen Sorten. Die Ananas ist eine Enzym- und Vitaminbombe par excellence. Die Fruchtsäuren verstärken nicht nur das erfrischende Aroma, sie sind auch Darmreiniger und Arterienfeger. Die Frucht entwässert, entschlackt und entgiftet. Die Liste ist lang, wollte man alle Vorzüge aufzählen. Zubereitung: Ananas hochkant in einer weiten Schüssel stellen, damit der Saft aufgefangen werden kann. Zuerst den Stielansatz und den Blattschopf entfernen, dann die Schale mit einem Messer möglichst dünn von oben nach unten abschneiden. Die «Augen» ausstechen, die Frucht in Scheiben schneiden, den harten Strunk ausstechen oder kreisförmig herausschneiden.

Angostura Erstmals Anfang des 19. Jahrhunderts in der Stadt Angostura, Venezuela, als Heilmittel hergestellt. Bitterer Extrakt aus Baumrinden, Kräutern und Gewürzen, alkoholhaltig. Zum Würzen von salzigen und süssen Gerichten.

Austernpilz Gedeiht an lebenden und toten Laubholzstämmen, vorwiegend im Herbst und Winter, ausser in anhaltenden Frostperioden. Junge Pilze sind eher von neutralem Geschmack und haben festfleischige Hüte. Austernpilze, auch Kalbfleischpilze genannt, eignen sich nebst Einlage in Suppen zum Grillen und Braten.

Avocado Wunderfrucht der Mayas und Azteken, beheimatet in den feuchttropischen Urwäldern Mittel- und Südamerikas. Reich an ungesättigten Fettsäuren sowie Vitaminen und Mineralstoffen.

Bambussprossen Kegeliger Trieb des tropischen Baumgrases Bambus, wird jung wie Spargel gestochen. In Ostasien verbreitetes Nahrungsmittel. In Spezialitätenläden frisch erhältlich, ansonsten als Konserve in der Dose.

Bulgur Weizenprodukt. Die Körner werden in Wasser eingelegt, einige Stunden in Wasser gekocht und anschliessend getrocknet. Nachher so grob wie Griess geschrotet. Im Bioladen und Reformhaus erhältlich.

Cayennepfeffer Pulver aus getrockneten Chilischoten.

Chile jalapeno Mexikanische Chilischote. Kegelförmig, grün. Wird in der mexikanischen Küche sehr häufig verwendet. Im Mexiko- und Spezialladen auch als Konserve erhältlich.

Chile pasilla Mexikanische Chilischote. Fast schwarz, getrocknet. Für Saucen, Suppen und Eintöpfe. Im Mexiko- und Spezialladen erhältlich.

Chile poblano Milde Chile, vergleichbar mit Peperoni/Gemüsepaprika. Hell- bis dunkelgrün. Wird oft gefüllt. Meistens geschält verwendet. Auch in Dosen erhältlich.

Chinesische Nudeln Eiernudeln aus Weizenmehl.

Chilischoten Gehören in Asien und Lateinamerika zum täglichen Nahrungsangebot. Die vielen Sorten, es sind weit über 200, können sich in Form, Farbe und Grösse unterscheiden. Bezüglich Schärfe reicht das Spektrum von sanft schmeichelnd bis höllisch scharf. Im reifen Zustand sind die Schoten rot, orange, gelb oder violett. Grüne Schoten sind noch nicht ausgereifte Früchte, aber auch sie können ganz schön scharf sein.

Couscous Aus Hartweizen hergestellt.

Curry Mischung aus zahlreichen Gewürzen wie Chilischoten, Senfsamen, Kreuzkümmelsamen, Kurkuma, Sternanis, Gewürznelken, schwarzen Pfefferkörnern, Korianderkörnern, Zitronengas, Curry- und Limonenblättern, Ingwerwurzeln, Galangawurzeln, Knoblauch, Zwiebeln, Koriandergrün und Korianderwurzel, Pfefferminze, Dill usw. Im Handel sind die Gewürze einzeln und als Curry-Mischung erhältlich.

Curry, Madras- Rassige, feurige Currymischung.

Epazote Auf Deutsch wird diese Pflanze nur mexikanisches Teekraut genannt. Sehr aromatisch. Schwer ersetzbar. Erhältlich im Mexiko- und Spezialladen.

Erdnuss Die Erdnuss ist keine Nuss, sondern der Kern einer Hülsenfrucht, die in wärmeren Klimazonen gedeiht. Da die Früchte während der Reifezeit kein Licht vertragen, neigen sich die Fruchtknoten nach der Blüte zur Erde und bohren die an den Spitzen hängenden Hülsen 5 bis 10 cm tief in den Boden hinein. Je nach Art des Bodens, sandig oder humsreich, nehmen die länglichen, geriffelten Schoten, die 2 bis 4 Kerne enthalten, eine hellgelbe bis ockerbraune Farbe an. Hauptproduzenten sind Indien und China, gefolgt von den USA, Indonesien, afrikanischen Staaten, Mexiko, Brasilien, der Türkei und Israel.

Fève Geschälter grüner Kern der dicken Bohne, auch Acker-, Puff- oder Saubohne genannt. Die Schoten sind dick und von zartgrüner Farbe. In Südeuropa werden sie im Frühjahr als erste Bohnen geerntet. Auch als Konserve erhältlich.

Fischsauce In der fernöstlichen Küche Ersatz für Salz. Wird aus mit Salz fermentierten Fischen und Krevetten hergestellt. Klar, von hellbrauner Farbe, intensives Würzmittel. Bei Verwendung von Fischsauce mit dem Salz sparsam umgehen. Erhältlich in Asienläden.

Galgant Ingwerähnliche, brennend scharfe Wurzel. Wird in Indien und Südostasien

angebaut. Ideal zum Würzen klarer
Suppen.

Glasnudeln Durchsichtige, schlüpfrige
Nudeln aus Mungobohnenmehl. Gelten
als Gemüse. Vor Verwendung 5 Minuten
im heissen Wasser einweichen. Nach
dem Einweichen am besten in mundgerechte Stücke teilen.

Ingwerwurzel Scharfe Wurzel für salzige
und süsse Speisen. Sie stammt aus dem
tropischen Raum, insbesondere aus
Indien und China. Wichtigste Zutat für
Currymischungen. Da das Fleisch unter
der Schale besonders aromatisch ist, die
frische Wurzel nur mit einem groben
Tuch abreiben oder die Schale mit einem
Messer abschaben. Ingwer ist auch als
Pulver erhältlich.

Kokosmilch In vielen asiatsichen Ländern
wird zum Kochen anstelle von Milch (tie-
risches Eiweiss) Kokosnussmilch verwendet. Kokosmilch ist in Dosen als Pulver-
milch und «en bloc» erhältlich. Sie gibt
Suppen eine leicht cremige Konsistenz
und bricht oftmals die Spitze scharfer Zutaten. Durch langes Stehenlassen trennen
sich Wasser- und Fetteile, ähnlich wie
bei der Kuhmilch, d. h. der Rahm wird an
der Oberfläche abgelagert. Durch kräftiges
Rühren verbinden sich die beiden Elemen-
te wieder. Reste sollten nicht in der Dose,
sondern in einem kleinen Krug aufbewahrt
werden. Im Kühlschrank ist die Kokosmilch
einige Tage haltbar. Tiefkühlen ist mög-
lich. Die Milch kann auch aus Kokosnuss-
raspeln hergestellt werden: 50 g Raspeln
10 Minuten in $1/2$ Liter Wasser köcheln
lassen. Abseihen. Ergibt 200 ml/2 dl Milch.

Kombu Algenart. Hoher Gehalt an Jod
und anderen Spurenelementen. Das zart-
süsse Aroma verfeinert Gemüsebrühen
und Suppen.

Kumquat Unbehandelte Zitrusfrucht.
Wachteleigross, Schale säuerlich-herb,
hocharomatisch, Fruchtfleisch würzig,
süss. Kumquats immer dann verwenden,
wenn ein intensives Orangenaroma er-
wünscht ist. Zubereitung: Die Frucht
samt Schale in Scheiben oder Schnitze
schneiden und entkernen.

Kurkuma (Gelbwurz) Wurzel aus dem
asiatischen Raum, mit dem Ingwer ver-
wandt. Leichtes, aromatisches, pfefferiges,
frisches Aroma, mit einem Hauch von
Orange und Ingwer. In der Curry-Küche
unverzichtbar. Wird als Aroma- und
Farbstoff (färbt die Speisen gelb) verwendet. Kurkuma ist oft Ersatz für Safran,
weil preisgünstiger. Im Handel sind ganze
Wurzeln (getrocknet) und daraus hergestelltes Pulver erhältlich.

Litschi Südchinesische Frucht mit inten-
sivem Rosenaroma. Zubereitung: Die
Schale mit einem Messer oder mit den
Fingern aufbrechen, die Frucht herauslösen, den Samen entfernen.

Lotuswurzel (Hornklee) Geniessbare
Teile der Wasserpflanze Lotos. Stärke-
haltiger Wurzelstock. Würzmittel.

Mango Indische Nationalfrucht. Wird heute in tropischen und subtropischen Plan-
tagen angebaut. Neben Ananas und
Banane wichtigste Tropenfrucht. Vitamin-
A-reichste Frucht überhaupt, zudem reich
an Vitamin C. Verdauungsfördernd,
mild abführend und blutbildend, Baby-
und Heilnahrung. Zubereitung: Schale
mit Messer oder Sparschäler abziehen.
Das Fruchtfleisch in Scheiben vom Kern
schneiden. Vorsicht: Mangosaft macht
hartnäckige, kaum entfernbare Flecken.

Miso Würzmittel aus Japan. Fermentiertes
eiweissreiches Sojabohnenkonzentrat.
Cremige bis feste Konsistenz.

Morchel, chinesische Man nennt sie auch Mu-Err, Judasohr, Schwarzer Champignon. Das Fleisch ist im jungen Stadium gallertig-knorpelig und knackig, eher fader Geschmack.

Mungobohnen Kleine grüne Sojabohnenart, die aus Indien stammt. Ideal für die Sprossenzucht.

Muskatnuss Frucht eines immergrünen Baumes, der in Sri Lanka, Malaysia und Westindien angebaut wird. In der Küche werden die Nuss und die Blüte verwendet, wobei die Blüte feiner und runder schmeckt. Muskatnuss eignet sich zum Würzen von salzigen und süssen Gerichten. Erhältlich sind ganze Nüsse, welche die Grösse einer Baumnuss/Walnuss haben, und daraus hergestelltes Pulver.

Papaya Die ursprünglich mexikanischen Melonenbäume haben nichts mit Melonen zu tun, obwohl ihre Früchte entfernt den Melonen ähneln. Sie haben das apricotfarbene Fruchtfleisch einer Cavaillon-Melone, etwa dieselbe Konsistenz und gut zu entfernende, in der Mitte liegende schimmernde Samen, die an Kaviar erinnern. Die Beerenfrüchte des «Baums der Gesundheit», wie ihn die Indios nennen, sind äusserst vitamin- und mineralstoffreich und enthalten zudem das eiweissspaltende Enzym «Papain». Die gesundheitlichen Vorzüge sind lang: Die Papaya regt den Stoffwechsel und die Verdauung an, stimuliert Leber und Milz, entsäuert und entschlackt und bringt überflüssige Pfunde rasch zum Verschwinden. Zubereitung: Papaya halbieren, die Kerne mit einem Löffel ausschaben, das Fruchtfleisch auslöffeln. Für Schnitze die Frucht mit einem Sparschäler oder Messer schälen, halbieren, die Kerne entfernen, die Frucht zerkleinern.

Petersilienwurzel Im südöstlichen Mittelmeerraum beheimatet. Die mit der Blatt- und Krautpetersilie verwandte Wurzel wird 6 bis 12 cm lang und wird ab Oktober geerntet. Die elfenbeinfarbige Wurzel ist konisch und sieht der Pastinake ähnlich, sie ist aber etwas kleiner. Der herbe Geschmack erinnert an Karotten, Knollensellerie, Pastinaken und Petersilie.

Pfeilwurzelmehl Bindemittel, das aus der Knolle der westindischen Pflanze «Maranta arundinacea L.» gewonnen wird. Man nennt das Bindemittel auch Maranatamehl. Erhältlich in Bio- oder Naturkostläden und im Reformhaus.

Quinoa Der Reis der Inkas. Uralte Pflanze aus dem Anden-Hochland. Dort, in der Region der heutigen Länder Peru und Bolivien, war Quinoa für die Bevölkerung über Jahrtausende Grundnahrungsmittel. Die Samen sind blass-gelblich, rund und flach. Durch den Garprozess werden sie transparent. Bezüglich Geschmack viel Gemeinsames mit den Sesamsamen.

Reisnudeln Aus Reismehl hergestellt, in verschiedenen Formen, haarfein wie Glasnudeln bis zu flachen Bändern von einem halben bis zwei Zentimeter Breite. Vor der Verwendung rund 20 Minuten in warmes Wasser einlegen. Im Unterschied zu den Glasnudeln werden die Reisnudeln weiss, aber nicht glasig durchsichtig.

Sambal Oelek Scharfe Sauce aus Chilischoten, Chilikernen und Gewürzen.

Seitan Aus Weizenmehl hergestellt. Das Mehl wird im Verhältnis 2:1 mit Wasser und wenig Salz vermengt. Den Teig unter dem fliessenden Wasser portionsweise kneten, bis Stärke und Kleie herausgewaschen sind. Zurück bleibt eine gummiähnliche Masse, das Weizeneiweiss, auch das Gluten (Kleber) genannt. Fleischersatz.

Shiitake Beliebter Baumpilz aus Asien. Reich an Vitaminen. Günstiger Einfluss auf den Cholesterinspiegel. Nur die Hüte verwenden, die Stiele sind eher zäh. Prädestiniert für fernöstliche Gerichte. Zum Rohessen nicht geeignet. Als Ersatz eignen sich Champignons.

Sojasauce Man unterscheidet zwischen hellen salzigen und dunklen süsslichen Saucen. Wird aus fermentierten Sojabohnen, Weizen oder Gerste, Salz und oft auch mit Zusatz von Hefe hergestellt. Ältestes Würzmittel in der chinesischen Küche.

Sojasprossen Aus der gelben Sojabohne gewonnen. Eine der eiweissreichsten Hülsenfrüchte. Aus der gleichen Bohne wird auch Tofu hergestellt. Nicht zu verwechseln mit Mungosprossen. Siehe auch: Zwiebelsprossen.

Tempeh Aus Sojabohnen (ohne Salz) hergestellt. Starker Beigeschmack, vergleichbar mit einem reifen Camembert. Erhältlich im Reformhaus und Bioladen sowie in Asienläden. Fleischersatz.

Tamari Nebenprodukt bei der Herstellung von Miso. Anstelle von Salz zu verwenden. Erst nach dem Garen beigeben.

Tofu Quark der Sojamilch. Leicht verdauliche Pflanzenkost. Fleischersatz. Cholesterinfrei.

Tortillas Runde, dünne Fladen aus Mais- oder Weizenmehl. Eines der wichtigsten Nahrungsmittel in Mexiko und Zentalamerika. Maistortillas sind je nach Zuammensetzung des Maismehls weiss bis gelb.

Udon Reisnudeln aus Naturreis.

Wakame-Algen Unserem «normalen» Gemüse geschmacklich am ähnlichsten.

Weizensprossen Aus unbehandelten Weizenkörnern gezogen. Reich an Vitamin B und C. Die Getreidesprossen sind einfach zu ziehen. Weitere Infos: siehe Zwiebelsprossen.

Zimt Stammt ursprünglich aus Sri Lanka. Der Zimmtbaum liebt sandigen Boden und tropisches Meeresklima. Zimt ist angenehm süss und leicht holzig. Im Handel gibt es getrocknete Zimtstangen und darauf hergestelltes Pulver.

Zitronengras (Lemongras) Tropisches Gras mit knolliger Wurzel. Geschmack und Aroma erinnern an Zitrone. Lemongras bleibt trotz Garprozess faserig. Die Halme putzen und mehrere Male brechen. Nach dem Garprozess entfernen.

Zwiebelsprossen Idealer Ersatz für rohe Zwiebeln. Die Sprossen sind von aromatischem, kräftigem, aber trotzdem mildem Geschmack. Der gesundheitliche Wert ist beachtlich: die Sprossen wirken antibakteriell und stärken damit das Immunsystem. Gleichzeitig reinigen und entschlacken sie den Organismus. Sie unterstützen die Verdauung und verhindern unerwünschte Fäulnisprozesse im Darm. Zwiebelsprossen sind während des ganzen Jahres im Angebot von Grossverteiler und Gemüsehändler. Infos und Anleitung zur Sprossenzucht können dem Buch «Die Sprossenküche» von Erica Bänziger, ISBN 3-310-00307-8, Midena, entnommen werden.

Kalt-
schalen

Kühles Melonensüppchen

3 reife Zuckermelonen,
z. B. Kantalup, Charentais
oder Cavaillon
1 dl/100 ml Zitronensaft
0,7 dl/70 ml Cognac
Meersalz
weisser Pfeffer aus der Mühle
wenig frische Ingwerwurzel

Zitronenmelisse für die Garnitur

1 Die Melonen halbieren und entkernen. Aus einer Melonenhälfte kleine Kugeln für die Garnitur/Einlage ausstechen. Das Fruchtfleisch mit einem Esslöffel herauslösen, pürieren. 2 bis 3 Stunden kühl stellen.

2 Melonenpüree, Zitronensaft und Cognac mit dem Schneebesen gut verrühren. Den Ingwer schälen und fein hacken, dazugeben. Mit Pfeffer abschmecken.

3 Die Melonensuppe in gekühlten Tellern oder Glasschalen anrichten. Die Melonenkügelchen dazugeben. Mit Zitronenmelisse garnieren. Sofort servieren.

Bild

Kalte Jogurtsuppe mit Minze

für 6 bis 8 Personen

3 Becher (600 g) Vollmilchjogurt
2 TL Zitronensaft
$1/2$ l kalte Hühnerbrühe
3 dl/300 g Rahm/süsse Sahne
$1/2$ TL Kreuzkümmelpulver
schwarzer Pfeffer aus der Mühle
Meersalz
1 EL fein geschnittene Pfefferminze

Pfefferminzblättchen für die Garnitur

1 Jogurt, Hühnerbrühe und Zitronensaft glatt rühren. Den Rahm steif schlagen und unterziehen. Mit Kreuzkümmel, Pfeffer und Salz würzen. Die Pfefferminze unterrühren.

2 Die Jogurt-Kaltschale in tiefen Glastellern oder -schalen anrichten. Mit Pfefferminzblättchen garnieren.

Zum Rezept Die kalte Jogurtsuppe stammt vermutlich aus dem Kaukasus und wurde von umherziehenden Turkenstämmen nach Indien gebracht.

Kaltschalen

Kaltes Tomatensüppchen

1 kg reife Fleischtomaten
1 rote Peperoni/Gemüsepaprika
$^{1}/_{2}$ Salatgurke
1 kleine rote Zwiebel
1 kleiner roter Peperoncino/
  Pfefferschote
1 Knoblauchzehe
200 ml/2 dl Gemüsebrühe
2 EL Rotweinessig
2 EL Olivenöl extra vergine
2 dl/200 ml Tomatensaft
Kräutermeersalz
weisser Pfeffer aus der Mühle
Tamari (Sojasauce)

Garnitur
Gurkenstreifen, Peperoni-/
  Gemüsepaprikastreifen
Rucola oder Sprossen

1 Die Tomaten an der Spitze kreuzweise einschneiden, in einem Schaumlöffel in kochendes Wasser tauchen, bis sich die Haut löst, die Früchte in kaltem Wasser abschrecken, schälen, den Stielansatz entfernen, vierteln. Die Peperoni halbieren, den Stielansatz und die Kerne entfernen, klein schneiden. Die Gurke schälen, halbieren und entkernen. Die Zwiebel schälen und grob hacken. Den Peperoncino ebenfalls grob hacken. Die Knoblauchzehe schälen und durchpressen.

2 Sämtliches Gemüse im Mixer fein pürieren, nach Belieben durch ein Sieb streichen.

3 Gemüsebrühe, Essig, Olivenöl und Tomatensaft unter das Gemüsepüree rühren. Gut würzen. 2 Stunden kühl stellen.

4 Die gut gekühlte Tomatensuppe in vorgekühlten Tellern anrichten. Nach Belieben mit Gurken- oder Peperonistreifen oder Rucola oder Sprossen garnieren.

Kalte russische
Sauerampfersuppe

1 l Gemüsebrühe
1 kleine Zwiebel
2 Stängel Stangensellerie
1 mittelgrosse mehlig kochende
   Kartoffel
150 g junge, zarte Sauerampfer-
   blätter
1 Bund Brunnenkresse
2 EL Zucker
1 Prise Meersalz
schwarzer Pfeffer aus der Mühle
1 unbehandelte Zitrone,
   abgeriebene Schale

Sauerrahm/saure Sahne oder
   Crème fraîche für die Garnitur
Dillzweige für die Garnitur

1 Die Zwiebel schälen und fein hacken, den Stangensellerie fein hacken. Die Kartoffel schälen und klein würfeln.

2 Gemüsebrühe, Zwiebeln, Sellerie und Kartoffeln aufkochen, köcheln lassen, bis das Gemüse gar ist. Sauerampfer, Brunnenkresse und Zitronensaft unterrühren, 2 bis 3 Minuten köcheln lassen. Die Suppe pürieren. Mit Salz und Pfeffer abschmecken. Abkühlen lassen, dann für 2 bis 3 Stunden kühl stellen.

3 Die Zitronenschale unter die Kaltschale rühren. In vorgekühlten Suppentassen oder -tellern anrichten. Mit Sauerrahm oder Crème fraîche und Dill garnieren.

Sauerampfer Die Pflanze wächst auch auf unseren Wiesen. Besonders zart sind die Blätter im Frühjahr, d. h. im April und Mai. Für den sauren Geschmack ist die Oxalsäure verantwortlich. Da die Oxalsäure in grossen Mengen den Magen reizt oder gar toxisch wirkt, sollte man den Sauerampfer mit Brunnenkresse, Petersilie, Karottenkraut usw. mischen.

Kaltschalen

Karibische
Ananas-Mango-Kaltschale

20 g Zucker
2 EL brauner Rum
2 EL Wasser
1 grosse Ananas oder
2 kleine Ananas
1–2 Mangos
ca. 4 dl/400 ml Milch
1 Prise Zimtpulver
3 EL Crème double

1 Zucker, Rum und Wasser in einem kleinen Topf erhitzen, bei starker Hitze 1 bis 2 Minuten einreduzieren. Von der Wärmequelle nehmen und abkühlen lassen.

2 Die Ananas schälen, die Noppen mit einem spitzen Messer ausstechen, die Frucht beidseitig kappen, längs halbieren. Den holzigen Strunk entfernen, das Fruchtfleisch zerkleinern. Die Mangos schälen, das Fruchtfleisch vom Stein schneiden.

3 Ananas- und Mangofleisch zusammen mit dem Rumsirup und der Hälfte der Milch fein pürieren. Die restliche Milch und die Crème double unterrühren. Mit dem Zimtpulver abschmecken. In einer säurebeständigen Schüssel 4 Stunden oder über Nacht kühl stellen.

4 Die exotische Kaltschale vor dem Servieren mit dem Schneebesen aufschlagen.

Kalte Gurkensuppe
mit Tomatengnocchi

Suppe
1 EL Butter
$^1/_2$ Zwiebel
1 Knoblauchzehe
2 Salatgurken
$^1/_2$ l Gemüsebrühe
Meersalz
Pfeffer aus der Mühle
einige Tropfen Tabascosauce

Tomatengnocchi
1 Freilandei
1 Eigelb
2 EL Tomatenmark
100 g Mascarpone
50 g geriebener Parmesan
50 g Mehl
50 g Weizengriess
Meersalz
geriebene Muskatnuss

1 Die Zwiebel und die Knoblauchzehe schälen und fein hacken. Die Gurken ungeschält längs halbieren, die Kerne entfernen, klein würfeln.

2 Die Zwiebeln und den Knoblauch in der Butter andünsten. Die Gurkenwürfel zufügen, kurz mitdünsten. Mit der Brühe aufgiessen, aufkochen, köcheln lassen, bis die Gurken gar sind. Die Suppe pürieren. Mit Salz, Pfeffer und Tabascosauce würzen, abkühlen lassen, dann im Kühlschrank gut durchkühlen lassen.

3 Für die Gnocchi Ei, Eigelb und Tomatenmark gut verrühren. Mascarpone und Parmesan unterrühren. Mehl und Griess mit der Käsemasse gut vermengen. Mit Salz und Muskatnuss abschmecken. Etwa 30 Minuten stehen lassen, bis die Masse kompakt ist.

4 Reichlich Salzwasser zum Kochen bringen. Von der Gnocchimasse mit zwei Esslöffeln Klösschen abstechen, in das kochende Wasser geben, bei schwacher Hitze etwa 8 Minuten gar ziehen lassen. Mit einem Schaumlöffel herausnehmen und erkalten lassen.

6 Die Suppe auf die gekühlten Teller verteilen. Die Gnocchi hineinlegen. Mit den Kräutern garnieren.

Avocado-Kaltschale

für 6 Personen

1 EL Butter
1 mittelgrosse Zwiebel
2 reife Avocados
1 Becher (1,8 dl/180 g) Rahm/
   süsse Sahne
7 dl/700 ml kalte Gemüsebrühe
1 EL fein gehackte Petersilie
1 EL fein gehackter Dill
2 EL Mandelblättchen

1 Die Zwiebel schälen und fein hacken, in der Butter andünsten.

2 Avocados schälen, halbieren, den Kern herauslösen, das Fruchtfleisch mit einem Löffel herauslösen.

3 Avocadofleisch, Rahm, Gemüsebrühe und Schalotten pürieren. Würzen. Die Kräuter unterrühren.

4 Die Avocadocreme in Glasschalen anrichten. Mit den Mandelblättchen garnieren.

Tomaten-Kaltschale
mit Karambolen

500 g reife Fleischtomaten
2 Stängel Stangensellerie
1 Zitrone, Saft
2 EL Olivenöl extra vergine
Meersalz
schwarzer Pfeffer aus der Mühle
7 dl/700 ml gekühlter
   Tomatensaft
Selleriesalz
Tabascosauce
Worcestersauce
1 Prise Zucker

2 Karambolen
einige Zitronenmelisseblätter
   für die Garnitur
Granatapfelkerne oder Melonen
   nach Belieben

1 Die Tomaten schälen und klein schneiden (Seite 22). Die Selleriestängel ebenfalls klein würfeln.

2 Die Tomaten- und Selleriewürfelchen mit wenig Zitronensaft und dem Olivenöl verrühren, mit Salz und Pfeffer würzen. 30 Minuten marinieren.

3 Tomatensaft und restlichen Zitronensaft verrühren, mit Selleriesalz, Tabasco- und Worcestersauce sowie Pfeffer und Zucker würzen, unter die Tomaten rühren.

4 Tomatensuppe in vorgekühlten Suppentellern oder -tassen anrichten. Karambolen beidseitig kappen und in Scheiben schneiden, auf die Suppe legen. Mit Zitronenmelisse garnieren. Nach Belieben Granatapfelkerne darüber streuen oder Melonenkugeln dazulegen.

Klare Suppen

Gemüsebrühe — **Grundrezept**

100 g Zwiebeln mit Schale
100 g Karotten
100 g Knollensellerie
100 g Lauch
2 mittelgrosse Tomaten
2–3 Knoblauchzehen
1 Msp frischer Ingwer
1 Stängel Zitronengras
einige Petersilienstängel
wenig frischer Koriander, Lieb-
stöckel, Majoran, Thymian,
Bohnenkraut

1 Die Zwiebeln samt Schale halbieren. Das Gemüse putzen/schälen und zerkleinern. Die Tomaten vierteln.

2 Zwiebeln, Gemüse, Tomaten und Knoblauch in einen grossen Kochtopf geben. Etwa 2 Liter Wasser dazugiessen, aufkochen und bei schwacher Hitze rund 2 Stunden köcheln lassen. Während der letzten halben Stunde Ingwer, Zitronengras und Kräuter mitkochen. Die Brühe durch ein feines Sieb abgiessen.

Tipp Die Gemüsebrühe kann im Kühlschrank 3 bis 4 Tage aufbewahrt werden. Sie eignet sich auch zum Tiefkühlen.

Hühnerbrühe — **Grundrezept**

1/2 Suppenhuhn
2 Knoblauchzehen
1 grosse Zwiebel
1/4 Knollensellerie
1 Karotte
1 Lauch
1 EL getrockneter Thymian
1 Hand voll Lotuswurzeln
(Reformhaus/Bioladen)
3 l Wasser

1 Die Knoblauchzehen und die Zwiebel schälen und zerkleinern. Den Knollensellerie und die Karotte schälen und zerkleinern. Den Lauch putzen und längs aufschneiden.

2 Sämtliche Zutaten in einen grossen Kochtopf geben, aufkochen, abschäumen, bei kleiner Hitze 4 bis 5 Stunden garen.

3 Den Topfinhalt durch ein Mulltuch (Gazetuch) abseihen, erkalten lassen.

Tipp Die Hühnerbrühe hält sich im Kühlschrank einige Tage frisch. Sie eignet sich auch zum Tiefkühlen. Kann immer dann verwendet werden, wenn das Rezept «Hühnerbrühe» vorschreibt.

Rinderbrühe mit Griessklösschen

1 l kräftige Rinder- oder Gemüsebrühe
60 g ausgelöste grüne Erbsen
2 EL fein geschnittener Schnittlauch

Griessklösschen
75 g weiche Butter
120 g Hartweizengriess
2 verquirlte Freilandeier
Meersalz
geriebene Muskatnuss

1 Für die Griessklösschen die Butter luftig aufschlagen, bis sich Spitzchen bilden. Nach und nach den Griess und die verquirlten Eier unterrühren. Mit Salz und Muskatnuss würzen. 1 Stunde ruhen lassen.

2 Die Rinderbrühe mit den Erbsen aufkochen, 2 bis 3 Minuten köcheln lassen.

3 Die Temperatur der Brühe so stark reduzieren, dass sie gerade eben noch köchelt, aber nicht sprudelnd kocht. Vom Griessteig mit einem Teelöffel Klösschen abstechen, mit einem zweiten Teelöffel kompakt formen, in der heissen Brühe etwa 15 Minuten gar ziehen lassen.

4 Die Suppe in vorgewärmten Tellern anrichten, mit dem Schnittlauch bestreuen.

Klare Tomatensuppe

1¹/₂ kg überreife Tomaten
2 dl/200 ml kräftiger italienischer
  Rotwein, z. B. Barolo
2 dl/200 ml Gemüsebrühe
1 Hand voll Basilikumblätter
1 Knoblauchzehe
1 kleines Stück
  Peperoncino/Pfefferschote
Kräutermeersalz

E i n l a g e
Tomaten- oder Gemüsestreifen
  oder Griessklösschen, Seite 31,
  oder Ravioli

1 Die Tomaten grob zerkleinern. Alle Zutaten, ohne Salz, im Mixer portionsweise pürieren. In einen Kochtopf geben und unter ständigem Rühren zweimal aufkochen. Von der Wärmequelle nehmen und 10 Minuten stehen lassen.

2 Das Tomatenpüree in ein Mulltuch (Gazetuch) giessen, die klare Suppe in einer säurebeständigen Schüssel auffangen.

3 Die klare Tomatensuppe aufkochen, mit Kräutersalz abschmecken. In vorgewärmten Tellern anrichten.

Bunte Gemüsesuppe mit Udon

200–300 g Udon (Vollkorn-
  reisnudeln)
600 g Mischgemüse, z. B. Lauch,
  Chinakohl, Karotten, Fenchel,
  Knollensellerie
Pilze
eingeweichte Wakame-Algen,
  nach Belieben
2 l kräftige Gemüsebrühe

Bild

1 Die Reisnudeln in reichlich Salzwasser 5 Minuten vorgaren, abgiessen und unter kaltem Wasser abschrecken.

2 Das Gemüse putzen/schälen, in Streifen oder Scheiben schneiden.

3 Die Gemüsebrühe in einem feuerfesten Suppentopf in einer Fonduepfanne auf einem Rechaud ständig am Siedepunkt halten. Das Gemüse und die Nudeln in der Brühe bissfest garen. Jeder nimmt mit dem Schaumlöffel Nudeln, Gemüse, Pilze und Algen aus der Brühe.

Tipp Die Brühe kann individuell mit Muskatnuss und Flüssigwürze (Sojasauce) nachgewürzt werden. In asiatischen Lebensmittelläden sind verschiedene Gewürzmischungen, z. B. Shichimi-Togarashi, erhältlich. Sparsam dosieren, sie sind sehr scharf. Auch Seitan- und Tofustückchen können in der Brühe gegart werden.

Zitronengrassuppe
mit Gemüseeinlage und Wontons

Zitronengrasbrühe
8 Stängel Zitronengras
1 l Gemüsebrühe
100 g Mischgemüse, z. B. Karotten, Kohlrabi, Zucchini, Lauch, Bambussprossen
Kerbelblättchen

Wontonteig
(Ravioliteig)
130 g fein gemahlenes Dinkelmehl, Kleie ausgesiebt
80 g Quinoa, fein gemahlen
ca. 1 dl/100 ml Wasser
1 EL Distelöl
1 Prise Meersalz

1 Eiweiss zum Bepinseln
Frittieröl

Wontonfüllung
20 g Butter
40 g Sojasprossen
60 g Alfalfasprossen
1 Eigelb von einem Freilandei
3 EL Rahm/süsse Sahne
2 EL fein geschnittener Schnittlauch
Meersalz
schwarzer Pfeffer aus der Mühle

1 Für den Wontonteig sämtliche Zutaten vermengen und zu einem festen Teig zusammenfügen. In Folie einwickeln und 40 Minuten bei Zimmertemperatur ruhen lassen.

2 Für die Wontonfüllung die Sojasprossen in der Butter andünsten, die Alfalfasprossen unterrühren. Die Pfanne von der Wärmequelle nehmen. Eigelb, Rahm und Schnittlauch unterrühen. Abschmecken mit Salz und Pfeffer. Abkühlen lassen.

3 Für die Suppe das Zitronengras dreiteilen, zusammen mit der Gemüsebrühe aufkochen, bei schwacher Hitze 30 Minuten ziehen lassen. Je länger man das Zitronengras in der Brühe belässt, desto aromatischer wird sie. Das Zitronengras entfernen. Das Gemüse putzen/schälen und in kleine Würfel oder Streifen schneiden. Oder das Gemüse (Karotten, Sellerie, Kohlrabi, Zucchini) in dünne Scheiben schneiden und mit beliebigen Miniatur-Ausstechern Figuren ausstechen. Das Gemüse zur Suppe geben, köcheln lassen, bis es gar ist.

4 Den Teig auf bemehlter Arbeitsfläche hauchdünn ausrollen. Quadrate von 5 cm x 5 cm schneiden. Auf jedes Plätzchen einen Teelöffel der Füllung geben. Die Ränder mit Eiweiss anstreichen. Die Ecken über das Kreuz (diagonal) nach oben nehmen, die Kanten gut zusammendrücken, die Spitze wenig einschlagen. Die Wontons im Frittieröl bei 200 °C 2 bis 3 Minuten frittieren. Auf Küchenpapier abtropfen lassen.

5 Die heisse Zitronengrassuppe in vorgewärmten Tellern anrichten, die Wontons dazugeben. Sofort servieren.

Gemüse-Nudel-Suppe **mit Curry**

2 EL Butter
2 EL milder Curry
2 rote Peperoncini/Pfeffer-
schoten
1 Bund Frühlingszwiebeln
3 Knoblauchzehen
1 l Wasser
1 EL Sojasauce
150 g Blumenkohl
150 g Chinakohl
1 grosser Rettich
50 g chinesische Nudeln

1 Die Peperoncini längs aufschneiden, entstielen und entkernen, in Streifchen schneiden. Die Zwiebelröhrchen in Ringe schneiden, die Zwiebeln fein hacken. Den Knoblauch schälen und fein hacken. Den Blumenkohl in Röschen teilen. Den Chinakohl in breite Streifen schneiden. Den Rettich schälen, in Scheiben schneiden.

2 Den Curry und die Peperoncini in der Butter andünsten. Die Zwiebeln und den Knoblauch kurz mitdünsten. Mit dem Wasser aufgiessen, aufkochen. Sojasauce und Gemüse beifügen, bei schwacher Hitze 5 Minuten köcheln lassen. Die Nudeln in der Suppe weich garen. In vorgewärmten Tellern anrichten.

Bild

Klare Suppe **mit Gemüse und Backerbsen**

1 l Gemüsebrühe
1 kleine Karotte
$1/8$ Knollensellerie
1 kleiner Lauch
wenig Weisskabis/-kohl
1 Hand voll grüne Erbsen
1 Bund Kerbel

Backerbsen
100 g Dinkelmehl
8 EL Olivenöl extra vergine
3 dl/300 ml helles Bier
1 Msp Meersalz
Pfeffer aus der Mühle
geriebene Muskatnuss
Maiskeimöl zum Frittieren

1 Für die Backerbsen Mehl, Olivenöl und Bier glatt rühren. Würzen. Sofort frittieren. Dazu das Maiskeimöl in einer Fritteuse oder in einem Brattopf erhitzen. Den Teig durch das Spätzlesieb portionsweise in das heisse Öl tropfen lassen. Mit einem Schaumlöffel herausnehmen, auf Küchenpapier trocknen lassen.

2 Die Karotte und den Knollensellerie schälen. Den Lauch putzen. Beim Weisskabis den Strunk entfernen. Das Gemüse in feine Streifen (Juliennes) schneiden.

3 Sämtliches Gemüse mit der Gemüsebrühe aufkochen, bei schwacher Hitze einige Minuten köcheln lassen. Mit Salz und Pfeffer abschmecken.

4 Die Suppe in vorgewärmten Tellern anrichten. Den Kerbel fein schneiden und darüber streuen. Die Backerbsen erst am Tisch in die Suppe geben.

Wurzel-Hafer-Quitten-
Eintopf

2 Quitten
2 EL Birnendicksaft
2 dl/200 ml Wasser

1 EL Bratbutter/Butterschmalz
200 g Wurzelgemüse,
   z. B. Karotten, Pfälzer Rüben,
   Knollensellerie, Pastinaken
40 g Haferkörner
8 dl/800 ml Gemüsebrühe
100 g Wirz-/Wirsingstreifen
Meersalz
Pfeffer aus der Mühle

wenig Bratbutter/Butterschmalz
100 g geräucherte Tempeh-
   würfelchen
1¹/₂ EL Sojasauce

1 Die Quitten mit einem trockenen Tuch abreiben, dann unter lauwarmem Wasser waschen. Die Früchte schälen, vierteln, entkernen und in Spalten schneiden. Mit dem Birnendicksaft und dem Wasser aufkochen, bei schwacher Hitze knackig garen.

2 Das Wurzelgemüse schälen und in nicht zu dünne Scheiben schneiden, in der Bratbutter andünsten. Die Haferkörner beifügen, mit der Gemüsebrühe aufgiessen, aufkochen, bei schwacher Hitze köcheln lassen, bis die Haferkörner gar sind. Den Wirz die letzten 5 Minuten mitkochen. Die Quitten untermischen. Eventuell braucht es noch mehr Gemüsebrühe.

3 Den Tempeh in der Bratbutter bei kleiner Hitze braten, mit der Sojasauce würzen, zur Suppe geben.

Rustikale Sauerkrautsuppe
mit Wacholdertoast

1 EL Bratbutter/Butterschmalz

1 kleine Zwiebel

1 Knoblauchzehe

1 mittelgrosse fest kochende
  Kartoffel

300 g rohes Sauerkraut

1 EL edelsüsses Paprikapulver

1 dl/100 ml trockener Weisswein

1 l Gemüsebrühe

Kräutermeersalz

weisser Pfeffer aus der Mühle

W a c h o l d e r t o a s t

8 Scheiben Vollkornbaguette

50 g weiche Butter

1 EL milder Senf

8 zerdrückte Wacholderbeeren

1 Die Zwiebel und die Knoblauchzehe schälen und fein hacken. Die Kartoffel schälen in Würfel schneiden.

2 Die Zwiebeln und den Knoblauch in der Butter andünsten, zuerst die Kartoffeln beifügen, dann das Sauerkraut und mitdünsten. Mit Paprika bestäuben. Den Weisswein angiessen, kurz köcheln lassen. Mit der Gemüsebrühe aufgiessen, aufkochen, bei schwacher Hitze 20 bis 30 Minuten köcheln lassen; die Kartoffeln dürfen nicht zerfallen. Würzen.

3 Die Brotscheiben mit der Butter und dem Senf bestreichen, die zerdrückten Wacholderbeeren darauf verteilen. Im vorgeheizten Ofen bei starker Oberhitze knusprig backen.

4 Die Suppe anrichten, den Wacholdertoast darauf legen.

Klare Suppen

mit Gemüseküchlein und Tofu

Suppe
4–5 grosse Shiitake
$1^1/2$ l Gemüsebrühe
1 cm Ingwerwurzel
250 g weicher Tofu
Sojasauce
Meersalz
Pfeffer aus der Mühle
Sesamöl
1 kleine Zwiebel

Gemüseküchlein
(für 20 Stück)
$^3/_4$ Tasse Wasser
$1^3/_4$ Tassen feines Dinkelmehl,
   Kleie ausgesiebt
$^1/_2$ TL Meersalz

Füllung
2 chinesische Pilze
150 g gemischtes Gemüse,
   z. B. Lauch, Karotten, Zwiebeln,
   Kohlrabi, Knollensellerie
100 g Chinakohl
50 g gegarte Bamussprossen
1 kleine Zwiebel
1 cm frische Ingwerwurzel

1 Für den Teig Wasser, Mehl und Salz von Hand zu einem geschmeidigen Teig kneten. In eine Schüssel legen und mit einem feuchten Tuch bedecken, 2 Stunden ruhen lassen. Eine Rolle von knapp 3 cm Durchmesser formen, in 2 cm dicke Scheiben schneiden, zu dünnen Teigrondellen (wie für Ravioli) ausrollen.

2 Für die Füllung die chinesischen Pilze kurz in warmes Wasser einlegen, herausnehmen und trocknen. Die Stiele entfernen, die Hüte hacken. Das Gemüse putzen/schälen und in kleine Würfel oder feine Streifen schneiden. Die Bambussprossen zerkleinern. Die Zwiebel und den Ingwer schälen und fein hacken. Sämtliche Zutaten vermengen.

3 Jede Teigrondelle mit wenig Kleie bestreuen, $1^1/2$ TL der Füllung in die Mitte geben. Den Teigrand mit wenig Wasser bepinseln, zusammenklappen und gut andrücken. Die Gemüseküchlein in einer Bratpfanne bei starker Hitze in wenig Öl schnell einseitig bräunen. Dann 1 cm Wasser in die Pfanne giessen. Zugedeckt bei schwacher Hitze köcheln lassen, bis die Flüssigkeit verdampft ist.

4 Für die Suppe die Shiitake 30 Minuten in heissem Wasser einlegen. Harte Stiele entfernen. Die Hüte in feine Streifen schneiden. Die Gemüsebrühe zusammen mit dem Ingwer und dem gewürfelten Tofu in einem grossen Kochtopf aufkochen. Die Gemüseküchlein (2 bis 3 Küchlein pro Person) hineinlegen, bei schwacher Hitze 5 Minuten köcheln lassen. Mit Sojasauce, Salz und Pfeffer würzen. Anrichten. Wenig Sesamöl und etwas fein gehackte Zwiebeln darüber streuen.

Gemüse

Kürbissuppe
mit Randenwürfelchen

2 EL Olivenöl extra vergine
1 kleine Zwiebel
500–600 g Kürbisfleisch
1 kleine mehlig kochende
  Kartoffel
1 l Gemüsebrühe
Kräutermeersalz
Pfeffer aus der Mühle
1 Msp frisch geriebener Ingwer
1 Bund Schnittlauch
100 g gekochte Randen/
  Rote Beten
4 EL Sauerrahm/saure Sahne

1 Die Zwiebel schälen und fein hacken. Den Kürbis schälen und entkernen, klein würfeln. Die Kartoffel schälen und klein würfeln. Den Schnittlauch fein schneiden. Die Randen schälen und in Würfelchen (Brunoise) schneiden.

2 Die Zwiebeln und den Kürbis im Olivenöl andünsten, die Kartoffeln beifügen. Mit der Gemüsebrühe aufgiessen, aufkochen, bei schwacher Hitze köcheln lassen, bis das Gemüse weich ist. Die Suppe pürieren.

3 Die Suppe aufkochen, mit Kräutersalz, Pfeffer und Ingwer abschmecken.

4 Die Kürbissuppe in vorgewärmten Tellern anrichten. Den Schnittlauch und die Randenwürfelchen darüber streuen. Einen Esslöffel Sauerrahm in die Mitte geben.

Bild

Kartoffelcremesuppe
mit weissen Trüffeln

30 g Butter
1 kleiner weisser Lauch
1 mittelgrosse Zwiebel
300 g mehlig kochende Kartoffeln
7 dl/700 ml Gemüsebrühe
1 dl/100 g Rahm/süsse Sahne
Meersalz
Pfeffer aus der Mühle
2–3 Tropfen Öl von weissen
  Trüffeln
10 g weisse Trüffel

1 Den Lauch putzen und in feine Scheiben schneiden. Die Zwiebel schälen und grob hacken. Die Kartoffeln schälen und klein würfeln.

2 Den Lauch und die Zwiebeln in der Butter andünsten, die Kartoffeln dazugeben. Mit der Gemüsebrühe aufgiessen, aufkochen und bei schwacher Hitze köcheln lassen, bis die Kartoffeln gar sind. Pürieren.

3 Die Suppe mit dem Rahm aufkochen, mit Salz und Pfeffer würzen. Das Trüffelöl unterrühren.

4 Die Kartoffelsuppe in vorgewärmten Tellern anrichten. Die weissen Trüffel darüber hobeln.

Gemüse

Tomatencremesuppe
mit Reiseinlage

2 EL Olivenöl extra vergine
1 mittelgrosse Zwiebel
einige Petersilienstängel
500 g reife Fleischtomaten
1 EL Tomatenmark
1 grosse Karotte
1 mehlig kochende Kartoffel
8 dl/800 ml Gemüsebrühe
weisser Pfeffer aus der Mühle
1 KL flüssiger Honig
1–2 Knoblauchzehen
1 Becher (1,8 dl/180 g) Sauer-
	rahm/saure Sahne
4 gehäufte EL gekochter,
	erhitzter Naturreis für die
	Einlage
fein gehackte Petersilie

1 Die Tomaten schälen (Seite 22), vierteln, den Stielansatz entfernen, würfeln. Die Zwiebel schälen und
fein hacken. Die Karotte und die Kartoffel schälen und
klein würfeln.

2 Zwiebeln und Petersilienstängel im Olivenöl andünsten. Tomaten, Tomatenmark und Karotten beifügen
und kurz mitdünsten. Die Kartoffeln beifügen. Mit der
Gemüsebrühe aufgiessen, aufkochen, bei schwacher
Hitze köcheln lassen, bis das Gemüse gar ist.

3 Die Suppe aufkochen, je nach Konsistenz mit wenig
Gemüsebrühe verdünnen. Mit Pfeffer, Honig und
durchgepresstem Knoblauch abschmecken. Den Sauerrahm unterrühren, erhitzen, aber nicht mehr kochen.

4 Die Tomatensuppe in vorgewärmten Tellern anrichten. Den Reis dazugeben. Mit den Kräutern bestreuen.

Gemüse

Pilzcremesuppe

2 EL Butter
2 Schalotten oder
1 kleine Zwiebel
1 Knoblauchzehe
400 g gemischte Pilze, z. B.
   Steinpilze, Eierschwämme/
   Pfifferlinge, Herbsttrompeten,
   Champignons
1 EL Zitronensaft
$^1/_2$ dl/50 ml trockener Weisswein
1 l Gemüsebrühe
1 dl/100 g Rahm/süsse Sahne
einige Tropfen Cognac
Meersalz
Pfeffer aus der Mühle

1 Die Pilze putzen und in Scheiben schneiden. Die Schalotten und die Knoblauchzehe schälen und fein hacken. Die Kräuter ebenfalls fein hacken.

2 Die Schalotten und den Knoblauch in der Butter andünsten, die Pilze beifügen und kurz mitdünsten, den Zitronensaft und den Weisswein angiessen, die Flüssigkeit etwas verdunsten lassen. Mit der Gemüsebrühe aufgiessen, aufkochen, 10 Minuten bei schwacher Hitze köcheln lassen. Die Suppe pürieren.

3 Die Suppe mit dem Rahm aufkochen, mit Cognac, Salz und Pfeffer abschmecken. In vorgewärmten Tellern anrichten.

Tipp Wenig getrocknete, eingeweichte Pilze der gleichen Sorte mitgaren, das verstärkt das Pilzaroma.

Jamaikanische Kürbis-Kokos-Suppe
mit Peperoncini und Ingwer

für 6 Personen

2 EL Olivenöl extra vergine
1 mittelgrosse Zwiebel
1 kleiner roter oder grüner
   Peperoncino/Pfefferschote
700 g fruchtiger Kürbis
1 mittelgrosse mehlig kochende
   Kartoffel
1–2 TL fein geriebener frischer
   Ingwer
1 Stängel Zitronengras
6 dl/600 ml Gemüsebrühe
4 dl/400 ml Kokosmilch
1 Beutel Green Curry
Meersalz
Pfeffer aus der Mühle

1 Die Zwiebel schälen und fein hacken. Den Peperoncino längs aufschneiden, entkernen und in Streifchen schneiden. Den Kürbis schälen, entkernen und klein würfeln. Die Kartoffel schälen und klein würfeln.

2 Zwiebeln, Peperoncini und Kürbis im Olivenöl andünsten, Kartoffeln, Ingwer und Zitronengras beifügen. Mit der Gemüsebrühe aufgiessen, aufkochen und die Suppe bei schwacher Hitze köcheln lassen, bis der Kürbis und die Kartoffeln gar sind. Das Zitronengras entfernen. Die Suppe pürieren.

3 Die Suppe zusammen mit der Kokosmilch und dem grünen Curry erwärmen (bei zu grosser Hitze flockt die Kokosmilch aus), mit Salz und Pfeffer abschmecken.

4 Die Kürbiscremesuppe in vorgewärmten Tellern anrichten.

Gemüse

für 6 Personen

2 EL Erdnussöl
1 mittelgrosse Zwiebel
700 g rohe Randen/rote Beten
8 dl/800 ml Gemüsebrühe
Meersalz, Pfeffer
Zitronensaft
ca. 2 EL goldiger Vollrohrzucker

Crème fraîche für die Garnitur
Dill für die Garnitur

1 Die Randen schälen und in kleine Stücke schneiden. Die Zwiebel schälen und fein hacken.

2 Die Zwiebeln im Erdnussöl andünsten. Die Randen dazugeben und mitdünsten, mit der Gemüsebrühe aufgiessen, aufkochen. Bei schwacher Hitze köcheln lassen, bis die Randen weich sind. Wenig Randen klein würfeln und beiseite stellen. Die Suppe pürieren.

3 Die Suppe abermals aufkochen, mit Salz und Pfeffer würzen, mit Zitronensaft und Zucker abschmecken.

4 Die Suppe in vorgewärmten Tellern anrichten. Mit Randenwürfelchen, Crème fraîche und Dill garnieren.

Bild

Gartenkräuter-Cremesuppe

2 EL Butter
1 Schalotte
3 Hand voll frische Kräuter
1 dl/100 ml trockener Weisswein
1 l Gemüsebrühe
2 EL Dinkelmehl, Kleie ausgesiebt
1 dl/100 g Rahm/Sahne
Meersalz, Pfeffer

1 Bund Petersilie (Garnitur)

Kräuter-Brotcroûtons
20 g Butter
1 Knoblauchzehe
2 EL fein gehackte Petersilie
4 Scheiben Toastbrot

1 Die Schalotte schälen und fein hacken, die Kräuter ebenfalls fein hacken, in der Butter andünsten. Den Weisswein angiessen, kurz köcheln lassen. Mit der Gemüsebrühe aufgiessen, aufkochen. Das mit wenig Wasser angerührte Dinkelmehl mit dem Schneebesen einrühren, bei schwacher Hitze 5 Minuten köcheln lassen. Die Suppe pürieren.

2 Das Brot in kleine Würfel schneiden. Die Butter in einer Bratpfanne zergehen lassen, die Knoblauchzehe dazupressen, die Petersilie und die Brotwürfelchen beifügen, knusprig braten.

3 Die Suppe mit dem Rahm unter Rühren aufkochen, mit Salz und Pfeffer abschmecken. In vorgewärmten Tellern anrichten, die Brotwürfelchen dazugeben, die Petersilie darüber streuen.

Gemüse

Französische Erbsen-Fèves-Cremesuppe

30 g Butter
1 Schalotte
350 g frische, enthülste dicke
   Bohnen (Fèves)
250 g frische Erbsen
7 dl/700 ml Gemüsebrühe
1 dl/100 g Rahm/süsse Sahne
Meersalz
Pfeffer aus der Mühle

geriebene Muskatnuss
geröstete Brotwürfelchen

1 EL Butter
2 Tomaten
Crème fraîche
geriebener Parmesan

1 Die Fèves etwa 2 Minuten in kochendem Salzwasser blanchieren. Mit einem Schaumlöffel herausnehmen und unter kaltem Wasser abschrecken. Die zähe Haut entfernen.

2 Die Schalotte fein hacken, in einem Kochtopf in der Butter andünsten. Fèves und Erbsen beifügen und kurz weiterdünsten. Mit der Gemüsebrühe aufgiessen, aufkochen und 5 bis 8 Minuten köcheln lassen. Die Suppe fein pürieren und durch ein Sieb streichen.

3 Die Tomaten schälen und klein würfeln (Seite 22), in einer kleinen Pfanne in der Butter kurz schwenken.

4 Die Suppe zusammen mit dem Rahm erhitzen, mit Salz, Pfeffer und Muskatnuss würzen.

5 Die Suppe anrichten. Mit den Brotwürfelchen bestreuen. Tomatenwürfelchen, Crème fraîche und Parmesan separat servieren.

Gemüse

Spargelcremesuppe

2 EL Butter
700 g weisser Spargel
200 g mehlig kochende
    Kartoffeln
1 dl/100 ml trockener
    Weisswein
7 dl/700 ml Gemüsebrühe
3 EL Crème double
Meersalz
Pfeffer aus der Mühle
1 Prise Muskatnuss
Kerbel für die Garnitur

1 Den Spargel schälen, die Schnittstelle kappen. Die Spargelspitzen abschneiden, etwa 5 cm lang. Die Stangen in 1 cm dicke Scheiben schneiden. Die Kartoffeln schälen und klein würfeln.

2 Die Spargelscheiben und die Spargelspitzen in der Butter andünsten, die Kartoffeln beifügen. Mit dem Weisswein und der Gemüsebrühe aufgiessen, aufkochen und die Suppe bei schwacher Hitze köcheln lassen, bis die Spargelstücke sehr weich sind. Die Spitzen nach etwa 10 Minunten herausnehmen und beiseite legen. Die Suppe pürieren, eventuell durch ein Sieb streichen.

3 Die Suppe aufkochen, je nach Konsistenz mit Gemüsebrühe verdünnen. Die Crème double unterrühren. Abschmecken. Die Suppe in vorgewärmten Tellern anrichten, mit gezupftem Kerbel garnieren.

Grüne Erbsensuppe
von der Ägäisküste

30 g Butter
2 mittelgrosse Zwiebeln
1 Kopfsalat
1 Bund glattblättrige Petersilie
300 g erntefrische, ausgelöste
    grüne Erbsen
1 l Hühnerbrühe
Meersalz
schwarzer Pfeffer aus der Mühle
1 EL Zitronensaft
$^1/_2$ TL mildes Paprikapulver

B r o t c r o û t o n s
30 g Butter
2 Scheiben Toastbrot

1 Die Zwiebeln schälen und fein hacken. Beim Kopf-salat die äusseren zähen Blätter entfernen, den Kopf in die einzelnen Blätter zerlegen und diese in Streifen schneiden. Die Petersilie ohne Stiele hacken.

2 Die Zwiebeln in der Butter andünsten, Kopfsalat, Petersilie und 200 g Erbsen kurz mitdünsten. Mit der Hühnerbrühe aufgiessen, 5 bis 7 Minuten köcheln lassen. Die Suppe pürieren.

3 Das Brot klein würfeln, in der Butter rösten.

4 Die Erbsensuppe zusammen mit den restlichen Erbsen erhitzen, 2 bis 3 Minuten köcheln lassen. Mit Salz, Pfeffer, Zitronensaft und Paprika abschmecken.

5 Die Erbsensuppe anrichten, die Brotcroûtons darüber streuen.

Gemüse

Moldawische
Kartoffel-Käse-Suppe

für 6 Personen

30 g Butter
2 mittelgrosse Zwiebeln
3 grosse Karotten
2 grosse mehlig kochende
Kartoffeln
1 Msp edelsüsses Paprikapulver
1 grosse Prise Cayenne-Pfeffer
1 EL fein gehackte Petersilie
1¼ l Hühnerbrühe
200 g Schafskäse
(baskischer Ektori)
Meersalz
schwarzer Pfeffer aus der Mühle
fein geschnittener Schnittlauch

1 Die Zwiebeln schälen und fein hacken. Die Karotten und die Kartoffeln schälen und in Scheiben schneiden. Den Käse klein würfeln.

2 Die Zwiebeln und die Karotten in der Butter andünsten. Die Kartoffeln mit den Gewürzen und der Petersilie beifügen und kurz mitdünsten. Mit der Hühnerbrühe aufgiessen, bei schwacher Hitze köcheln lassen, bis das Gemüse weich ist. Die Suppe pürieren.

3 Die Suppe aufkochen, je nach Konsistenz mit Hühnerbrühe verdünnen. Den Käse unterrühren, erhitzen, bis er geschmolzen ist. Mit Salz und Pfeffer abschmecken.

4 Die Suppe im vorgewärmten Tellern anrichten. Den Schnittlauch darüber streuen.

Zum Rezept Die Suppe wird in Moldawien mit hartem Schafskäse, einem reifen Brynsa, zubereitet. Mit baskischem Schafskäse ist sie eine absolute Köstlichkeit. Man kann auch Cheddar verwenden, dies ist allerdings mit einem Aromaverlust verbunden.

Gemüse

Tropisches Karottensüppchen

für 4 bis 6 Personen

30 g Butter oder
2 EL Erdnussöl
1 grosse Zwiebel
500 g Karotten
1 kleines Stück Knollensellerie
1 kleiner Lauch
3 Stängel Zitronengras
100 ml/1 dl trockener Weisswein
8 dl/800 ml Gemüsebrühe
1 dl/100 g Rahm/süsse Sahne
1 kleines Stück Ingwerwurzel
2 EL Grand Marnier
weisser Pfeffer oder
   Orangenpfeffer

Einlage
1/2 Papaya
1/2 Mango
8 Litschis
1–2 Kiwis
2 EL fein gehackte Petersilie
   oder Koriander
1 EL geriebene Erdnüsse

1 Die Zwiebel schälen und fein hacken. Die Karotten und den Sellerie schälen und klein würfeln. Den Lauch putzen und in Streifen schneiden. Den Ingwer schälen und fein hacken.

2 Zwiebeln, Gemüse und Zitronengras in der Butter oder im Erdnussöl andünsten, den Weisswein angiessen, einige Minuten köcheln lassen. Mit der Gemüsebrühe aufgiessen, aufkochen und bei schwacher Hitze köcheln lassen, bis das Gemüse gar ist. Das Zitronengras entfernen, die Suppe pürieren.

3 Die Papaya schälen, halbieren und entkernen, das Fruchtfleisch in Würfelchen schneiden. Die Mango schälen und das Fruchtfleisch in Scheiben vom flachen, holzig-faserigen Kern schneiden, in mundgerechte Stücke schneiden. Die Schale der Litschis mit einem Messer oder mit den Fingern aufbrechen, die Frucht herauslösen, den Samen entfernen. Die Kiwis schälen und quer in Scheiben schneiden.

4 Karottensuppe, Rahm und Ingwer aufkochen, kurz köcheln lassen. Abschmecken mit Grand Marnier und Pfeffer.

5 Die Karottensuppe in vorgewärmten Tellern anrichten, die exotischen Früchte darauf verteilen. Mit der Petersilie und den geriebenen Erdnüssen bestreuen.

Gemüse

Indische Erbsensuppe

1 EL Bratbutter/Butterschmalz
200 g ausgelöste grüne Erbsen
50 g geriebene Mandeln
2 TL Pfeilwurzelmehl
$^1/_2$ TL milder Curry
wenig scharfer Curry
1 Prise Paprikapulver
6 dl/600 ml Gemüsebrühe
1 dl/100 g Schlagrahm/-sahne
Meersalz
Pfeffer aus der Mühle
2 EL fein gehackte Petersilie
2 EL geröstete Mandelblättchen
einige Pfefferminzblättchen

1 Die Erbsen in der Butter kurz andünsten, Mandeln, Pfeilwurzelmehl und Curry unterrühren, die Gemüsebrühe angiessen, aufkochen, bei schwacher Hitze 10 Minuten köcheln lassen. Die Suppe pürieren.

2 Die Suppe mit dem Rahm aufkochen, je nach Konsistenz mit Gemüsebrühe verdünnen, mit Salz und Pfeffer abschmecken.

3 Die Erbsensuppe in vorgewärmten Tellern anrichten. Die gerösteten Mandelblättchen und die Petersilie darüber streuen.

Scharfe Birnencremesuppe
mit Ingwer

400 g reife Birnen, z. B. Williams
1 mittelgrosse mehlig
  kochende Kartoffeln
1 l Gemüsebrühe
1 kleines Stück frischer Ingwer
1 EL Madras-Curry
Meersalz
Pfeffer aus der Mühle
1 Hand voll Kresse oder
  Zwiebelsprossen

1 Die Birnen schälen, vierteln und entkernen, zerkleinern. Die Kartoffeln schälen, in kleine Würfel schneiden.

2 Die Gemüsebrühe zusammen mit den Kartoffelwürfelchen aufkochen, köcheln lassen, bis die Kartoffeln weich sind. Die Birnenstücke die letzten 5 Minuten mitkochen. Die Suppe pürieren.

3 Den Ingwer schälen und auf der Bircher-Rohkostreibe fein reiben, mit dem Curry zur Suppe geben. Die Suppe nochmals aufkochen, mit Salz und Pfeffer abschmecken.

4 Die Birnencremesuppe in vorgewärmten Tellern anrichten. Die Kresse oder die Zwiebelsprossen darüber streuen.

1 Die Schale der Orange dünn abschälen und kurz in kochendes Wasser geben, mit einem Schaumlöffel herausfischen. Die Kumquats halbieren und entkernen. Die Schalotten fein hacken. Die Karotten schälen und zerkleinern.

2 Die Schalotten in der Butter andünsten, die Karotten und die Orangenschalen oder Kumquats beifügen und kurz mitdünsten. Mit der Hühnerbrühe aufgiessen, aufkochen, bei schwacher Hitze köcheln lassen, bis die Karotten gar sind. Die Suppe pürieren.

3 Die Suppe zusammen mit dem Orangensaft und dem Rahm aufkochen, würzen. Je nach Konsistenz mit zusätzlicher Hühnerbrühe verdünnen. Mit Grand Marnier und Noilly Prat verfeinern.

4 Die Suppe in vorgewärmten Tellern anrichten, mit Schlagrahm und Zwiebelsprossen garnieren.

1 EL Butter
1 Schalotte
400 g Karotten
1 unbehandelte Orange oder
2 Kumquats
$1/2$ l Hühnerbrühe
2 Orangen, Saft
2 EL Rahm/süsse Sahne
Meersalz
weisser Pfeffer aus der Mühle
Cayennepfeffer
1 EL Grand Marnier
1 TL Noilly Prat

2 EL Schlagrahm/-sahne
1 Hand voll Zwiebelsprossen

Gemüse

Mexikanische
Maissuppe Mama Coquis

für 6 Personen

1 kleine Zwiebel
1 Knoblauchzehe
2 reife Fleischtomaten
2 EL Erdnussöl
3 Chiles Jalapeno (aus der Dose)
1 mittelgrosse Zwiebel
300 g tiefgekühlte Maiskörner
  oder
4 frische Zuckermaiskolben
1 l Hühnerbrühe
2 EL Epazote
100 g Crème fraîche
Meersalz
Korianderkraut oder Petersilie

1 Die kleine Zwiebel und die Knoblauchzehe schälen und grob hacken. Die Tomaten schälen (Seite 22), vierteln, den Stielansatz entfernen, würfeln. Zwiebeln, Knoblauch und Tomaten pürieren.

2 Bei den Chiles den Stielansatz entfernen, in Scheiben schneiden. Die Zwiebel in feine Scheiben schneiden. Die Zuckermaiskolben von den Hüllblättern und den Barthaaren befreien, die Körner mit einem scharfen Messer von den Kolben schneiden.

3 Chiles und Zwiebeln im Erdnussöl andünsten. Die Maiskörner dazugeben und kurz mitdünsten. Das Tomatenpüree und die Hühnerbrühe angiessen, Epazote dazugeben, aufkochen und bei schwacher Hitze 15 Minuten köcheln lassen. Crème fraîche unterrühren. Mit Salz abschmecken.

4 Die Suppe anrichten. Mit den Kräutern garnieren.

Variante Wenn man die Suppe etwas dickflüssiger wünscht und das Maisaroma verstärken möchte, gibt man den Tomaten vor dem Pürieren 2 Esslöffel feinkörnigen Mais bei. Gut in die Suppe passen auch einige Esslöffel Zucchiniwürfelchen.

Gemüse

Mtori — pikante Bananen-Cremesuppe

500 g mageres Rinderragout

2 grosse Suppenknochen

5 mittelgrosse grüne oder kleine
gelbe Bananen oder grosse
Feigen

1 mittelgrosse Zwiebel

1 grosse, reife Fleischtomate

Meersalz

Pfeffer aus der Mühle

1–2 EL Butter

1 Das Fleisch und die Suppenknochen zusammen mit 1^1/$_2$ l Wasser in einen grossen Kochtopf geben, aufkochen, den Schaum abschöpfen, bei schwacher Hitze 1^1/$_2$ Studen köcheln lassen.

2 Die Bananen oder die Feigen schälen und zerkleinern. Die Zwiebeln fein hacken. Die Tomate schälen (Seite 22), vierteln und den Stielansatz wegschneiden. Bananen, Zwiebeln und Tomaten zur Suppe geben, köcheln lassen bis alles sehr weich ist. Die Suppenknochen und das Fleisch entfernen. Die Suppe fein pürieren.

3 Die Bananencremesuppe nochmals erhitzen, mit Salz und Pfeffer abschmecken. Mit der Butter verfeinern. In vorgewärmten Tellern anrichten.

Zum Rezept Das traditionelle Rezept stammt aus Tansania, der Region des Kilimanjaro.

Gemüse

Brokkolisuppe
mit Mandelblättchen

2 EL Butter
1 kleine Zwiebel
600 g Brokkoli
1 l Gemüsebrühe
100 g Crème fraîche oder
1 dl/100 g Rahm/süsse Sahne
Kräutermeersalz
Pfeffer aus der Mühle

2 EL geröstete Mandel-
   blättchen

1 Die Zwiebel schälen und fein hacken. Den Strunk beim Brokkoli abschneiden, eventuell schälen, zerkleinern. Die Blume in Röschen teilen.

2 Die Zwiebeln und den Brokkoli in der Butter andünsten, mit der Gemüsebrühe aufgiessen, aufkochen, bei schwacher Hitze köcheln lassen, bis das Gemüse gar ist. Die Suppe pürieren.

3 Die Suppe zusammen mit der Crème fraîche oder dem Rahm unter Rühren aufkochen, eventuell mit Gemüsebrühe verdünnen, mit Kräutersalz und Pfeffer abschmecken.

4 Die Brokkolisuppe in vorgewärmten Tellern anrichten, die Mandelblättchen darüber streuen.

Zucchinicremesuppe
mit Alfalfa- und Zwiebelsprossen

2 EL Olivenöl extra vergine
1 kleine Zwiebel
2 Knoblauchzehen
800 g Zucchini
7 dl/700 ml Gemüsebrühe
1 TL Maisstärke
Meersalz
Pfeffer aus der Mühle
1 Eigelb von einem Freilandei

1 dl/100 g Schlagrahm/
  -sahne
Alfalfa- und Zwiebelsprossen

1 Die Zwiebel und die Knoblauchzehen schälen und fein hacken. Die Zucchini beidseitig kappen, ungeschält in kleine Stücke schneiden.

2 Zwiebeln und Knoblauch im Olivenöl andünsten, die Zucchini beifügen und mitdünsten. Mit der Gemüsebrühe aufgiessen, aufkochen, köcheln lassen, bis die Zucchini weich sind. Die Suppe pürieren.

3 Die Suppe aufkochen. Die mit wenig Wasser angerührte Maisstärke unterrühren, 2 Minuten köcheln lassen. Mit Salz und Pfeffer abschmecken. Den Kochtopf von der Wärmequelle nehmen, das Eigelb unterrühren.

4 Die Suppe in vorgewärmten Tellern anrichten. Mit dem Schlagrahm und den Sprossen garnieren.

Gemüse

Getreide

Hülsen-
früchte

Provenzalische Kastaniensuppe
mit Maiskörnern

2 EL Olivenöl extra vergine

1 kleine Zwiebel

2 Knoblauchzehen

300 g geschälte frische Kastanien
 oder

300 g tiefgekühlte Kastanien

1 TL getrocknete Provencekräuter

1 dl/100 g Rahm/süsse Sahne

1 l Gemüsebrühe

Pfeffer aus der Mühle

1 Prise Muskatnuss

1 Zuckermaiskolben oder

100 g Maiskörner aus dem Glas

$^1/_2$ TL fein geriebener Ingwer

Olivenöl extra vergine zum
 Beträufeln

1 Die Zwiebel und die Knoblauchzehe schälen und fein hacken. Den Maiskolben von den Blättern und den Barthaaren befreien, die Körner mit einem scharfen Messer vom Kolben schneiden. Die Maiskörner im Dampf rund 5 Minuten garen.

2 Die Zwiebeln und den Knoblauch im Olivenöl andünsten, die Kastanien und die Provencekräuter beifügen, mit der Gemüsebrühe aufgiessen, aufkochen, bei schwacher Hitze köcheln lassen, bis die Kastanien gar sind, 15 bis 20 Minuten. Die Hälfte der Kastanien mit einem Schaumlöffel herausnehmen und für die Einlage beiseite legen. Die restlichen Kastanien mit der Flüssigkeit pürieren.

3 Die Kastaniensuppe mit dem Rahm aufkochen, würzen. Die Kastanien und die Maiskörner zur Suppe geben. Mit dem Ingwer abschmecken.

4 Die Suppe in vorgewärmten Tellern anrichten. Einige Tropfen Olivenöl darüber träufeln.

Getreide – Hülsenfrüchte

Engadiner Heusuppe
mit Weizensprossen und Griessklösschen

2 Büschel Bergheu

1¹/₂ l Gemüse- oder Hühnerbrühe

30 g Butter

40 g feines Weizen- oder Dinkelmehl, Kleie ausgesiebt

¹/₂ dl/50 ml Portwein

1 Becher (1,8 dl/180 g) Schlag-
rahm/-sahne

Meersalz

2–3 EL unbehandelte Weizen-
körner für die Sprossen

Griessklösschen, Seite 31

1 Die Körner 6 bis 12 Stunden in kaltem Wasser einlegen. Das Wasser abgiessen (ein kräftigendes Getränk;
auch eine beliebte Stärkung für Zimmerpflanzen). Die
Körner gut abspülen, in ein Glas mit luftdurchlässigem
Deckel füllen, z. B. mit einem Gazetüchlein, an einen
hellen Ort stellen. Während des Keimens die Körner
2 Mal täglich gut spülen (im Glas belassen). Nach
2 Tagen haben die Getreidekörner 5 mm lange Keim-
linge. Für die Heusuppe werden zarte Gräser gezogen.
Ab dem 3. Tag die Gräslein weiterhin regelmässig mit
Wasser besprühen und ohne «Deckel» wachsen lassen.
Nach 6 bis 7 Tagen haben sie die gewünschte Grösse.

2 Das Bergheu in einen grossen Kochtopf pressen, mit
der Gemüsebrühe aufgiessen, aufkochen, bei schwacher Hitze 40 Minuten köcheln lassen. Den Topfinhalt
durch ein feines Tuch (Mulltuch/Gazetuch) oder ein
Spitzsieb passieren. Abermals aufkochen. Die Butter
mit dem Mehl verkneten, nach und nach unter ständigem Rühren in die kochende Heusuppe geben, auf
etwa 8 dl/800 ml einkochen lassen. Den Portwein
dazugeben, mit Salz abschmecken. Den Schlagrahm
unterziehen, die Suppe kurz aufschäumen lassen.

3 Die Klösschen in die vorgewärmten Teller legen. Die
heisse Suppe dazugiessen. Mit den Sprossen garnieren.

Tipp Die Heusuppe muss rasch serviert werden, damit
sie luftig auf den Tisch kommt. Das Weizengras har-
moniert ausgezeichnet mit dem süsslichen Aroma der
Suppe. Das Bergheu kann selbstverständlich durch nor-
males Heu ersetzt werden. Wichtig ist, dass es von
einer Wiese stammt, auf der kein Kunstdünger und
dergleichen eingesetzt worden ist und wo die Arten-
vielfalt noch intakt ist.

Hafersuppe

1¼ l Gemüsebrühe
5 EL grob geschrotete Haferkörner oder
5 EL Haferflocken
1 kleiner Lauch
1 Karotte
Meersalz
Pfeffer aus der Mühle
1 Stück Butter oder
¹/₂ dl/50 g Rahm/süsse Sahne
frische Kräuter oder wenig
   Lauch für die Garnitur

1 Den Lauch putzen und in feine Scheiben schneiden. Die Karotte schälen und in sehr feine Scheiben oder Würfelchen schneiden.

2 Die Gemüsebrühe aufkochen, das Schrot oder die Flocken beifügen, bei schwacher Hitze 25 Minuten köcheln lassen. Den Lauch und die Karotten dazugeben, 5 Minuten köcheln lassen. Mit Salz und Pfeffer abschmecken. Die Butter oder den Rahm unterrühren.

3 Die Hafersuppe in vorgewärmten Tellern anrichten. Mit fein gehackten Kräutern oder fein geschnittenem Lauch garnieren.

Gelberbsencremesuppe

150 g **Gelberbsen**
300 g **Karotten**
2 **Stängel Stangensellerie**
1 **mittelgrosse Zwiebel**
2 **Knoblauchzehen**
1 **Msp Kümmelsamen**
2 **Lorbeerblätter**
7 dl/700 ml **Wasser**
Gemüsebrühepulver
Meersalz
Pfeffer aus der Mühle
4 EL **Crème fraîche**

geröstete Brotwürfelchen
fein gehackte frische Kräuter

1 Die Gelberbsen über Nacht in reichlich Wasser einlegen, das Einweichwasser am nächsten Tag weggiessen.

2 Die Karotten schälen und zerkleinern. Den Stangensellerie in Scheiben schneiden. Die Zwiebel schälen und hacken.

3 Sämtliche Zutaten bis und mit Wasser in einen Kochtopf geben, aufkochen, bei schwacher Hitze köcheln lassen, bis die Erbsen gar sind. Die Lorbeerblätter entfernen. Die Suppe pürieren.

4 Die Suppe aufkochen, mit Gemüsebrühepulver, Salz und Pfeffer würzen. Je nach Konsistenz mit Wasser verdünnen. Die Crème fraîche unterrühren.

5 Die Suppe in vorgewärmten Tellern anrichten. Die Brotwürfelchen und die Kräuter darüber streuen.

Scharfe Gemüse-Kichererbsen-Suppe mit Couscous

100 g Kichererbsen
2 EL Olivenöl extra vergine
2 Zucchini
1 Aubergine
100 g Champignons
1 rote Peperoni/Gemüsepaprika
200 g Cherrytomaten
1 l Gemüsebrühe
einige Safranfäden
1 TL Paprikapulver
2 EL Sambal Oelek
1 Knoblauchzehe
je 2 Zweiglein Thymian und
**   Rosmarin**
Meersalz
Pfeffer aus der Mühle

60 g Couscous

1 Die Kichererbsen über Nacht in reichlich Wasser einlegen. Am nächsten Tag abgiessen und mit reichlich frischem Wasser aufsetzen, aufkochen und bei schwacher Hitze köcheln lassen, bis die Erbsen weich sind, etwa 45 Minuten. Das Wasser abgiessen.

2 Die Zucchini und die Aubergine ungeschält in mundgerechte Stücke schneiden. Die Champignons je nach Grösse ganz lassen oder in Scheiben schneiden. Die Peperoni halbieren, den Stielansatz und die Kerne entfernen, in kleine Quadrate schneiden. Die Tomaten einritzen.

3 Couscous gemäss Packungsbeschrieb garen.

4 Zucchini, Auberginen, Champignons und Peperoni im Olivenöl andünsten, mit der Brühe aufgiessen, aufkochen. Gewürze, fein gehackte Knoblauchzehe und Kräuter beifügen, köcheln lassen, bis das Gemüse gar ist. Die Tomaten und die Kichererbsen in der Suppe 2 Minuten erwärmen.

5 Die Suppe in vorgewärmten Tellern anrichten, Couscous darauf geben.

Getreide – Hülsenfrüchte

Linsen-Bulgur-Suppe

30 g Butter
1 grosse Zwiebel
100 g rote Linsen
100 g feiner Bulgur
1 grosse Zwiebel
2 EL Tomatenpüree
1 TL Paprikapüree
Meersalz
schwarzer Pfeffer aus der
   Mühle

30 g Butter
1 TL getrocknete Minze

2 Zweige frische Minze oder
   glattblättrige Petersilie

1 Die Zwiebel schälen und fein hacken, in der Butter andünsten. Die Linsen und den Bulgur beifügen, mit 1¹/₂ Liter Wasser aufgiessen, aufkochen, bei schwacher Hitze etwa 45 Minuten köcheln lassen, von Zeit zu Zeit rühren.

2 Das Tomaten- und das Paprikapüree unter die Suppe rühren, mit Salz und Pfeffer würzen. Je nach Konsistenz mit Wasser oder Gemüsebrühe verdünnen.

3 Die getrocknete Minze in der nicht zu heissen Butter schwenken, unter die Suppe rühren.

4 Die Suppe in vorgewärmten Tellern anrichten. Die fein geschnittene frische Minze oder die fein gehackte Petersilie darüber streuen.

Zum Rezept Eine beliebte winterliche Suppe rund um das Mittelmeer.

Bild

Italienische Brotsuppe

200 g altbackenes italienisches
   Weissbrot oder Baguette
8 dl/800 ml Hühnerbrühe
2 dl/200 ml trockener Weisswein
5 EL geriebener Grana Padano
   oder Parmesan
Meersalz
weisser Pfeffer aus der Mühle
1 Prise Muskatnuss
4 TL Olivenöl extra vergine

1 Das Brot im Cutter fein reiben, in einer Bratpfanne unter ständigem Rühren hellgelb rösten.

2 Die Hühnerbrühe aufkochen, das geröstete Brot unter Rühren dazugeben, bei schwacher Hitze rund 20 Minuten köcheln lassen. Den Weisswein angiessen, köcheln lassen, bis die Suppe dicklich ist. Von der Wärmequelle nehmen. Den Käse unterrühren. Mit Salz, Pfeffer und Muskatnuss abschmecken.

3 Die Brotsuppe in vorgewärmten Tellern anrichten. Das Olivenöl darüber träufeln.

Alpsuppe aus Mittelanatolien

für 4 bis 6 Personen

30 g Butter
1 grosse Zwiebel
80 g Langkornreis
1,2 l Fleisch- oder Gemüsebrühe
2 Freilandeier
2 Becher (je 180 g) säuerlicher
   Vollmilchjogurt
2 EL Mehl
Meersalz
schwarzer Pfeffer aus der Mühle
2 EL Zitronensaft

30 g Butter
1¹/₂ TL getrocknete Minze

1 Die Zwiebel schälen und fein hacken, in einem Kochtopf in der Butter andünsten. Den Reis dazugeben und kurz mitdünsten. Die Fleischbrühe angiessen, aufkochen, den Reis bei schwacher Hitze weich garen, etwa 30 Minuten. Den Topf von der Wärmequelle nehmen und etwas abkühlen lassen.

2 Die Eier verquirlen, den Jogurt und das Mehl unterrühren, etwa 2 dl/200 ml der heissen Brühe unterrühren.

3 Die getrocknete Minze in der mässig heissen Butter kurz schwenken.

4 Die Jogurt-Ei-Mischung unter die Reissuppe rühren, bei mittlerer Hitze unter ständigem Rühren erhitzen, bis sie dicklich ist. Sie darf nicht mehr kochen, sonst gerinnt sie. Mit Salz, Pfeffer und Zitronensaft abschmecken. Die Minze unterrühren.

Jogurt Türkischer Jogurt ist ziemlich säuerlich. Bei mildem Jogurt mehr Zitronensaft nehmen.

Linsenschaumcreme
mit Alfalfasprossen

1 EL Olivenöl extra vergine
1 kleine Zwiebel
1 Karotte
150 g rote Linsen
wenig getrockneter Thymian
1 Prise Ingwerpulver
1 Msp Kurkuma/Gelbwurz
1 Msp Curry
1 Prise Muskatnuss
8 dl/800 ml Gemüsebrühe
1 dl/100 g Rahm/süsse Sahne
Kräutermeersalz
Pfeffer aus der Mühle

Alfalfasprossen

1 Die Zwiebel schälen und fein hacken. Die Karotte schälen und klein würfeln.

2 Die Zwiebeln in Olivenöl andünsten, die Karotten und die Linsen dazugeben und mitdünsten. Die Gewürze beifügen, mit der Gemüsebrühe aufgiessen, aufkochen, die Suppe bei schwacher Hitze köcheln lassen, bis die Linsen gar sind.

3 Der Suppe 2 Esslöffel Linsen für die Einlage entnehmen. Die Suppe pürieren.

4 Die Linsensuppe mit dem Rahm aufkochen, abschmecken. Die Linsen beifügen.

5 Die Suppe in vorgewärmten Tellern anrichten. Die Sprossen darüber streuen.

Ukrainische Schwarzbrotsuppe

für 4 Personen als Hauptmahlzeit

1 grosse Karotte

1 grosser Lauch

1 Stängel Stangensellerie

1 Pastinake

1 mittelgrosse Zwiebel

100 g gegarte grosse weisse
  Bohnen (Saubohnen)

175 g altbackenes Ruch-/
  Schwarzbrot, gewürfelt

1^1/$_2$ l Gemüsebrühe

1^1/$_2$ dl/150 ml Buttermilch

1 dl/100 ml Milch

1 grosse Prise Muskatnuss

Meersalz

Pfeffer aus der Mühle

2 Eigelb von Freilandeiern

geröstete Brotwürfelchen

1 Das Gemüse putzen, bei Bedarf schälen, in Scheiben schneiden. Die Zwiebel fein hacken.

2 Sämtliche Zutaten bis und mit Gemüsebrühe in einen grossen Kochtopf geben, aufkochen und bei schwacher Hitze etwa 40 Minuten köcheln lassen. Die Suppe pürieren.

3 Die Brotsuppe zusammen mit der Buttermilch und der Milch unter ständigem Rühren aufkochen, würzen.

4 Das Eigelb mit 3 Esslöffeln Brotsuppe glatt rühren, unter ständigem Rühren zur Suppe geben. Nicht mehr kochen.

5 Die Suppe in vorgewärmten Tellern anrichten. Mit den Brotwürfelchen bestreuen.

Getreide - Hülsenfrüchte

1 EL Erdnussöl
150 g ausgelöste Erdnüsse
7 dl/700 ml Hühner- oder
   Gemüsebrühe
Meersalz
schwarzer Pfeffer aus der Mühle
einige Spritzer Tabascosauce
1 dl/100 g Rahm/süsse Sahne
1 EL Angostura
2 EL trockener Sherry
2 EL fein geschnittener Schnittlauch
geröstete Brotwürfelchen

1 Die Erdnüsse im Öl kurz rösten, mit einer Tasse Hühnerbrühe fein pürieren.

2 Erdnusspüree zusammen mit der restlichen Brühe aufkochen, mit Salz, Pfeffer und Tabascosauce würzen, bei schwacher Hitze etwa 10 Minuten köcheln lassen. Den Rahm unterrühren. Abschmecken mit Angostura und Sherry.

3 Die Suppe in vorgewärmten Tellern anrichten, den Schnittlauch und die Brotwürfelchen darüber streuen.

Bild

Schaumige
Amaranth-Gemüse-Suppe

1 EL Butter
200 g Karotten
1 kleine Zwiebel
je 1 Prise Koriander, Piment,
   Rosmarin, Muskatnuss
50 g Amaranth, möglichst fein
   gemahlen (2 Mal durch die
   Mühle lassen)
8 dl/800 ml Gemüsebrühe
Meersalz
Pfeffer aus der Mühle
1 dl/100 g Schlagrahm/-sahne
frische Saisonkräuter

1 Die Karotten schälen und auf der Röstiraffel raspeln. Die Zwiebel fein hacken.

2 Die Karotten und die Zwiebeln in der Butter andünsten, die Gewürze beifügen. Den Amaranth durch ein Mehlsieb in die Pfanne stäuben, mit der Gemüsebrühe aufgiessen, aufkochen, köcheln lassen, bis das Gemüse gar ist. Pürieren.

3 Die Suppe aufkochen, mit Salz und Pfeffer abschmecken, die Hälfte Schlagrahm unterziehen.

4 Die Amaranth-Suppe in vorgewärmten Tellern anrichten. Mit dem restlichen Schlagrahm und den Kräutern garnieren.

Variante Karotten durch Pastinaken oder Kürbis ersetzen.

Mexikanische Bohnensuppe
mit Tortillas

für 6 Personen als Hauptgericht

250 g Borlottibohnen
2 Fleischtomaten
1 mittelgrosse Zwiebel
1 EL Erdnussöl
1 l Hühnerbrühe

E i n l a g e
12 Tortillas
2 EL Erdnussöl
4 Chiles Pasillas, frittiert
100 g fein zerbröckelter Feta
wenig Epazote

T o r t i l l a s
(für 50 Stück)
1 kg Masa harina
1,4 l lauwarmes Wasser
20 g Meersalz

1 Die Borlottibohnen über Nacht in etwa 1^{1}/$_{2}$ Liter Wasser einlegen. Die Bohnen am nächsten Tag mit dem Einweichwasser in einen Kochtopf geben, aufkochen, abschäumen, bei schwacher Hitze weich kochen, etwa 60 Minuten. Mit der Flüssigkeit pürieren.

2 Für die Tortillas Mehl und Salz vermengen, das Wasser beifügen und zu einem glatten Teig zusammenfügen. Zugedeckt 10 bis 15 Minuten ruhen lassen. Den Teig in 50 Portionen teilen, am besten mit einer Waage, Kugeln formen und diese mit Öl bepinseln. Mit dem Nudelholz (im Mexikoladen gibt es Tortillas-Pressen zu kaufen) zwischen 2 Klarsichtfolien zu dünnen Rondellen von 11 cm Durchmesser ausrollen. Die Tortillas in einer nicht klebenden Bratpfanne bei mittlerer Hitze (keinesfalls Höchststufe) ohne Fettstoff 15 bis 20 Sekunden braten.

3 Die Tomaten schälen (Seite 22), vierteln, den Stielansatz entfernen. Die Zwiebel schälen und grob hacken. Tomaten und Zwiebeln pürieren.

4 Das Erdnussöl erhitzen, das Tomatenpüree unterrühren, bei schwacher Hitze einige Minuten köcheln lassen, die Hühnerbrühe und das Bohnenpüree unterrühren, 10 Minuten köcheln lassen.

5 Die Tortillas in Streifen schneiden, im Öl knusprig braten. Die Chiles Pasillas zerbröckeln.

6 Die Bohnensuppe in vorgewärmten Tellern anrichten. Tortillasstreifen, Käse, Chiles und Epazote dazugeben.

Variante Feta durch geriebenen Cheddar ersetzen. Die Suppe mit wenig Crème fraîche garnieren. Oder einige Avocadowürfelchen als Garnitur dazugeben.

Tipp Die Tortillas können auch tiefgefroren werden.

Fleisch –
Fisch

Montafoner Gerstensuppe

60 g getrocknete weisse Bohnen

80 g Rollgeste (grobe Gersten-
graupen)

400 g geräuchertes Rippli/
gepökeltes und geräuchertes
Schweinefleisch, ohne
Knochen, in Streifen

1 Lorbeerblatt

1 Thymianzweig

200 g Mischgemüse, z. B. Lauch,
Karotten, Knollensellerie,
Kohlrabi, Zwiebeln

1 mittelgrosse fest kochende
Kartoffel

Meersalz

weisser Pfeffer aus der Mühle

fein gehackte frische Kräuter

1 Die weissen Bohnen über Nacht in Wasser einlegen. Das Einweichwasser am nächsten Tag weggiessen.

2 Das Fleisch in Streifen schneiden. Das Gemüse putzen/schälen und in kleine Würfel oder in Streifen schneiden. Die Kartoffel schälen und in kleine Würfel schneiden.

3 Die Bohnen mit etwa 1½ l frischem Wasser aufkochen, den Schaum abschöpfen. Rollgerste, Fleisch, Lorbeerblatt und Thymianzweig beifügen, bei schwacher Hitze 60 bis 90 Minuten köcheln lassen, bis die Bohnen und das Fleisch gar sind.

4 Die Gemüse- und Kartoffelwürfelchen zur Suppe geben, weitere 20 Minuten köcheln lassen, bis das Gemüse gar ist. Das Lorbeerblatt und den Thymianzweig entfernen. Die Suppe mit Salz und Pfeffer abschmecken.

5 Die Gerstensuppe in vorgewärmten Tellern anrichten, die Kräuter darüber streuen.

Ochsenschwanzsuppe

30 g Butter

40 g Mehl

3 dl/300 ml Wasser

2 EL Olivenöl extra vergine

500 g Ochsenschwanz,
   zerkleinert

50 g magere Speckwürfelchen

2 dl/200 ml trockener Weisswein

1 l Wasser

1 besteckte Zwiebel

2 Knoblauchzehen

400 g Gemüsewürfel/-streifen
   (Karotte, Knollensellerie, Lauch)

Meersalz

Pfeffer aus der Mühle

1 EL Madeira

1 TL Rotweinessig

Fleischbrühepulver

1 Bund Petersilie

1 Das Mehl in der Butter unter ständigem Rühren bräunen. Etwas auskühlen lassen, dann das Wasser mit dem Schneebesen unterrühren.

2 Ochsenschwanz und Speckwürfelchen in einem grossen Kochtopf im Olivenöl kräftig anbraten. Mit dem Weisswein und dem Wasser aufgiessen. Besteckte Zwiebel, Knoblauchzehen und Gemüse beifügen, aufkochen. Die Mehlschwitze einrühren. Mit Salz und Pfeffer würzen. Bei schwacher Hitze etwa 2 Stunden köcheln lassen.

3 Den Ochsenschwanz aus der Suppe nehmen und das Fleisch vom Knochen lösen, würfeln.

4 Die Suppe durch ein Sieb passieren und wieder aufkochen, eventuell mit Fleischbrühepulver nachwürzen. Abschmecken mit Madeira und Rotweinessig. Die Fleischwürfelchen beifügen.

5 Die Ochsenschwanzsuppe in vorgewärmten Tellern anrichten. Die gehackte Petersilie darüber streuen.

Fleisch – Fisch

Süsssaure Kohlsuppe
mit Rinderfleisch

Hauptmahlzeit

1½ l Gemüsebrühe
500 g Suppenfleisch vom Rind
1 Suppenknochen
1 mittelgrosse Zwiebel
1 Karotte
1 grosse, reife Fleischtomate
½ kleiner Weisskabis/-kohl
40 g Rosinen
1 Zitrone, Saft
30 g goldiger Vollrohrzucker
Meersalz
Pfeffer aus der Mühle

1 Die Gemüsebrühe in einem grossen Kochtopf aufkochen, das Fleisch und den Suppenknochen dazugeben, aufkochen, den Schaum abschöpfen, bei schwacher Hitze etwa 1 Stunde köcheln lassen.

2 Die Zwiebel schälen und fein hacken. Die Karotte schälen und klein würfeln. Die Tomate schälen (Seite 22), vierteln und den Stielansatz wegschneiden, grob hacken. Beim Kabis den Strunk entfernen, quer in feine Streifen schneiden.

3 Zwiebeln, Karotten und Tomaten in den Kochtopf geben, weitere 30 Minuten köcheln lassen. Den Kabis und die Rosinen beifügen, nochmals 15 bis 20 Minuten köcheln lassen. Wenn die Suppe zu stark eingedickt ist, Gemüsebrühe angiessen.

4 Das Fleisch und den Suppenknochen herausnehmen. Das Fleisch in kleine Stücke schneiden und wieder zur Suppe geben. Mit Zitronensaft, Zucker, Salz und Pfeffer würzen. Das Verhältnis von süss und sauer nach Belieben variieren. Nochmals 10 Minuten köcheln lassen.

Zum Rezept Das Spiel mit süss und sauer ist in der jüdischen Küche Osteuropas sehr beliebt. Hier gibt es Parallelen zur chinesischen Küche.

mit Zuckermais und grünen Bohnen

für 8 Personen als Hauptmahlzeit

Chiles-Püree
2 getrocknete Chiles poblano
2 getrocknete schwarze Chiles
   (Chiles pasilla)
1 mittelgrosse Zwiebel
3 Knoblauchzehen
4 schwarze Pfefferkörner

1,2 kg Ragout vom Rind
2 Markknochen
2 EL Epazote
6 Zucchini
2 Karotten
150 g grüne Bohnen
8 kleine Kartoffeln
3 frische Zuckermaiskolben
1 grosse Zwiebel

Beilagen
fein gehacktes Korianderkraut
fein gehackte Zwiebeln
Limonenscheiben

1 Die Chiles entstielen, die Früchte von Hand aufbrechen, die Samen herauslösen. Bei mittlerer Hitze 1 bis 2 Minuten trocken rösten. Dann 15 Minuten in heisses Wasser einlegen. Gut ausdrücken. Die Zwiebel und die Knoblauchzehen schälen und zerkleinern, zusammen mit den Chiles und den Pfefferkörnern pürieren.

2 Die Maiskolben von den Blättern und den Barthaaren befreien, in 5 cm dicke Scheiben schneiden. Zucchini beidseitig kappen, in 5 cm lange Stücke schneiden, längs halbieren. Die Karotten schälen und in dünne Scheiben schneiden. Die Bohnen entstielen. Die Kartoffeln schälen und halbieren. Die Zwiebel in feine Scheiben schneiden.

3 Ragout, Markknochen, Epazote und 2 Liter Wasser in einen grossen Kochtopf geben, aufkochen und einige Minuten bei starker Hitze kochen lassen, den Schaum abschöpfen. Mit Salz würzen. Das Chiles-Püree unterrühren. Bei schwacher Hitze 45 Minuten köcheln lassen. Zucchini, Karotten, Bohnen, Kartoffeln, Zuckermais und Zwiebeln beifügen, köcheln lassen, bis das Gemüse gar ist. Die Knochen entfernen.

Variante Das Originalrezept enthält Tomatillos. Da frische Früchte nur selten erhältlich sind und man sie durch Konserven ersetzen muss, am besten ganz weglassen. Geschmacklich ist kein grosser Unterschied auszumachen.

Fleisch – Fisch

Thailändische Hühnersuppe
mit Zitronengras

4 dl/400 ml ungesüsste Kokosmilch

2 Stängel frisches Zitronengras

3 Kaffir-Zitronenblätter

1 Stück frischer Galgant (5 cm)

500 g Poulet-/Hühnerbrustfleisch

250 g Austernpilze oder
Champignons

2 mittelgrosse Fleischtomaten

3 frische thailändische Chilischoten

4 EL Limettensaft

ca. 4 EL Fischsauce

frischer Koriander für die
Garnitur

1 Das Zitronengras in 3 cm lange Stücke schneiden. Den Galgant schälen und in dünne Scheiben schneiden. Die Zitronenblätter vierteln. Die Pilze putzen und in mundgerechte Stücke schneiden. Die Tomaten schälen (Seite 20), vierteln und entkernen. Die Chilischoten entstielen und in feine Ringe schneiden. Das Poulet-brustfleisch in Streifen schneiden.

2 Die Kokosmilch erhitzen, Zitronengras und -blätter sowie Galgant dazugeben, bei mittlerer Hitze 2 bis 3 Minuten kochen lassen. 1 Liter Wasser aufgiessen, er-hitzen. Pouletfleisch, Pilze und Tomatenviertel dazu-geben, bei schwacher Hitze 5 Minuten köcheln lassen. Zitronengras und Galgant entfernen.

3 Chilischoten, Limettensaft und Fischsauce in eine Suppenschüssel geben, die heisse Suppe dazugiessen, mit Korianderblättchen garnieren.

Fleisch – Fisch

Scharfe Curry-Kokos-Suppe
mit Geflügelstreifen

2 EL Erdnussöl
2 grosse Zwiebeln
2 Knoblauchzehen
3 kleine rote Peperoncini/
    Pfefferschoten
1 kleines Stück frische Ingwer-
    wurzel
1 EL Madras-Curry
$^1/_2$ l Hühnerbrühe
4 dl/400 ml ungesüsste Kokos-
    milch
150 g Poulet-/Hühnerbrustfleisch
1 EL Korinthen
Meersalz

1 Die Zwiebeln und die Knoblauchzehen schälen und fein hacken. Den Ingwer schälen und auf der Bircher-Rohkostreibe fein reiben.

2 Zwiebeln, Knoblauch und Peperoncini im Erdnussöl andünsten. Ingwer und Curry beifügen und kurz mitdünsten. Mit der Hühnerbrühe und der Kokosmilch aufgiessen, aufkochen und die Suppe bei schwacher Hitze etwa 30 Minuten köcheln lassen. Die Peperoncini nach Belieben entfernen. Die Suppe pürieren.

3 Das Pouletfleisch in Streifen schneiden, in der Currysuppe bei schwacher Hitze 5 Minuten gar ziehen lassen. Die Korinthen beifügen. Die Suppe nochmals aufkochen. Mit Salz abschmecken. In vorgewärmten Tellern anrichten.

Krautsuppe
mit Trauben

2 EL Butter
2 EL Mehl
6 dl/600 ml Gemüse- oder
   Hühnerbrühe
1 dl/100 ml trockener Weisswein
1 Becher (1,8 dl/180 g) Rahm/
   süsse Sahne
150 g mildes Sauerkraut
Meersalz
schwarzer Pfeffer aus der Mühle
wenig zerstossener getrockneter
   Peperoncino/Chilischote
250 g blaue Weintraubenbeeren
200 g Truthahnfleisch
2 TL frische Thymianblättchen

1 Das Mehl in der Butter andünsten. Mit der Gemüse-brühe, dem Weisswein und dem Rahm aufgiessen. Das Sauerkraut dazugeben. Die Suppe aufkochen, mit Salz, Pfeffer und Peperoncino abschmecken, bei schwacher Hitze rund 30 Minuten köcheln lassen.

2 Die Traubenbeeren halbieren und entkernen. Das Truthahnfleisch in feine Streifen schneiden. Trauben und Fleisch zur Suppe geben, bei schwacher Hitze 5 Minuten gar ziehen lassen. Je nach Konsistenz mit Brühe verdünnen.

3 Die Krautsuppe in vorgewärmten Tellern anrichten. Mit dem Thymian bestreuen.

Fleisch – Fisch

1 Die Kichererbsen über Nacht in reichlich Wasser einlegen, am nächsten Tag abgiessen. Die Erbsen in einem Topf mit reichlich frischem Wasser aufkochen, etwa 1 Stunde bei schwacher Hitze kochen lassen, bis die Erbsen weich sind. Abgiessen.

2 Das Fleisch in 3 cm grosse Würfel schneiden, die Zwiebel fein hacken, zusammen mit den Pouletflügeln und den Gewürzen in einen grossen Kochtopf geben, mit etwa $1^{1}/_{2}$ l Wasser aufgiessen, aufkochen und bei schwacher Hitze $1^{1}/_{2}$ Stunden köcheln lassen. Die Pouletflügel entfernen.

3 Die Kichererbsen und den Reis zur Suppe geben. Die fein gehackte Petersilie und die fein gehackten Korianderblättchen unterrühren. Die Tomaten schälen (Seite 22), vierteln und den Stielansatz entfernen, entkernen, zur Suppe geben, weitere 5 Minuten köcheln lassen.

4 Die Zitronen in Spalten schneiden, separat servieren. Am Tisch kann so jeder seine Suppe nach Belieben abschmecken.

Hauptmahlzeit

100 g Kichererbsen
400 g Lammfleisch von der
   Schulter
2 Poulet-/Hühnerflügel
1 mittelgrosse Zwiebel
$^{1}/_{2}$ TL Kurkuma
je 1 Msp Zimt-, Ingwer und
   Safranpulver
3–4 Umdrehungen schwarzer
   Pfeffer aus der Mühle
1 TL Meersalz
1 Tasse gekochter Naturreis
   (50 g Trockenreis)
1 Bund glattblättrige Petersilie
4 Zweiglein Koriander
2 grosse Fleischtomaten

1–2 Zitronen

Fleisch – Fisch

Türkische Kuttelsuppe

300 g gegarte Kalbskutteln am
  Stück oder in Streifen
1 EL Meersalz
1 l Wasser
30 g Butter
1¹/2 EL Mehl
2 Eigelb von Freilandeiern
1/2 Zitrone, Saft

30 g Butter
1 TL scharfes Paprikapulver

2 Knoblauchzehen
1/2 dl/50 ml Weissweinessig

1 Die Kutteln unter kaltem Wasser gründlich spülen. Kutteln, Salz und Wasser in einen Kochtopf geben und aufkochen, bei schwacher Hitze rund 20 Minuten köcheln lassen. Die Kutteln mit einem Schaumlöffel aus dem Sud nehmen. Die Brühe in eine Schüssel abgiessen und beiseite stellen.

2 In der Kuttelpfanne das Mehl in der Butter leicht andünsten, nach und nach die Kuttelbrühe unterrühren, einige Minuten köcheln lassen.

3 Das Paprikapulver in der Butter andünsten.

4 Die Knoblauchzehen durchpressen oder im Mörser zerstossen, mit dem Essig und 1/2 dl/50 ml Wasser vermischen.

5 Das Eigelb mit dem Zitronensaft verrühren, unter Rühren zur Suppe geben, unter dem Kochpunkt dicklich werden lassen, aber nicht mehr kochen. Mit Salz und Pfeffer abschmecken.

6 Die Suppe in vorgewärmten Tassen oder Tellern anrichten, etwas Paprikabutter darauf geben. Mit 1 bis 2 Esslöffel Knoblauchessig würzt sich jeder nach Geschmack seine Suppe selbst.

Fleisch – Fisch

Hauptmahlzeit

2 EL Olivenöl extra vergine
50 g Rohessspeck am Stück
1 kleine Zwiebel
400 g gemischtes Gemüse,
    z. B. Lauch, Zucchini, Karotten,
    Knollensellerie, Kohlrabi, Wirz,
    Kürbis
1 grosse fest kochende Kartoffel
1 EL Tomatenpüree
1¹/₂–2 l Gemüsebrühe
Meersalz
Pfeffer aus der Mühle
1 Msp Kümmelsamen
50 g Spaghetti oder Nudeln
4 EL gekochte Borlotti-Bohnen
2 Fleischtomaten
500 g Meerfischfilets, z. B. Meer-
    teufel, Steinbutt, Schellfisch
2 EL Olivenöl extra vergine

einige Basilikumblätter für die
    Garnitur
1 Zweiglein Majoran für die
    Garnitur

1 Den Speck klein würfeln. Die Zwiebel schälen und in feine Scheiben schneiden. Das Gemüse putzen und in feine Scheiben oder Streifen schneiden. Die Kartoffel schälen, ebenfalls in Scheiben schneiden. Die Tomaten schälen (Seite 22), vierteln und den Stielansatz wegschneiden, klein würfeln. Die Fischfilets kalt abspülen, in nicht zu kleine Würfel schneiden.

2 Den Speck in einem grossen Kochtopf im Olivenöl kurz braten. Das Gemüse beifügen und andünsten, die Kartoffeln und das Tomatenpüree unterrühren, mit der Gemüsebrühe aufgiessen, aufkochen. Mit Salz, Pfeffer und Kümmel würzen. Köcheln lassen, bis das Gemüse fast gar ist. Die Teigwaren und die Bohnen beifügen, köcheln lassen, bis die Teigwaren gar sind. Am Schluss die Tomatenwürfelchen dazugeben.

3 Die Fischwürfel im Dämpfaufsatz kurz garen, damit sich die Poren schliessen, zur Minestrone geben, 1 bis 2 Minuten gar ziehen lassen. Das Olivenöl unterrühren.

4 Die Minestrone in vorgewärmten Tellern anrichten. Mit dem fein geschnittenem Basilikum und Majoran bestreuen.

Fleisch – Fisch

1 EL Butter

1 kleine Zwiebel

200 g mehlig kochende Kartoffeln

1 Msp Kümmelsamen

200 g rohes Sauerkraut

1 dl/100 ml trockener Weisswein

8 dl/800 ml Gemüsebrühe

1 Becher (1,8 dl/180 g) Rahm/
    süsse Sahne

Meersalz

Pfeffer aus der Mühle

200 g Weisskabis/-kohl
    ohne Strunk

2 dl/200 ml Gemüsebrühe

200 g Riesenkrevetten/-garnelen

Kräutermeersalz

weisser Pfeffer aus der Mühle

1 EL Bratbutter/Butterschmalz

1 Die Zwiebel schälen und fein hacken. Die Kartoffeln schälen und klein würfeln. Das Sauerkraut grob hacken.

2 Die Zwiebeln in der Butter andünsten. Kartoffeln, Kümmel und Sauerkraut beifügen und kurz mitdünsten. Den Weisswein angiessen, einige Minuten köcheln lassen. Mit der Gemüsebrühe aufgiessen, aufkochen und bei schwacher Hitze 30 Minuten köcheln lassen. Die Suppe pürieren.

3 Den Kabis in sehr feine Streifen schneiden, in der Gemüsebrühe knackig garen.

4 Die Riesenkrevetten mit Kräutersalz und Pfeffer würzen, in der Bratbutter beidseitig kurz braten.

5 Die Sauerkrautsuppe mit dem Rahm und den Kabis-streifen erhitzen, in vorgewärmten Tellern anrichten. Die Riesenkrevetten dazulegen.

Exotische Fischsuppe
mit Ananas, Litschis und Meeresfrüchten

für 4 Personen als Hauptmahlzeit
für 6 bis 8 Personen als Vorspeise

2 EL Butter
1 mittelgrosse Zwiebel
einige Safranfäden
2 Msp Cayennepfeffer
1 kleiner Lauch
1 Karotte
1 kleiner Fenchel
600 g fest kochende Kartoffeln
4 dl/400 ml Fischfond *
1/2–3/4 l Wasser
1 Dose Pelati (400 g)
1 TL gezupfte Thymianblättchen
1 TL gehackte Estragonblättchen
1 EL Meersalz
2,5 dl/250 ml trockener
  Weisswein
4 dl/400 ml (1 Glas) Hummer-
  oder Fischfond *
1 Limone, abgeriebene Schale
  und Saft von 1/2 Frucht
1 TL fein gehackter Ingwer
500 g fest kochender Meerfisch
200 g geschälte Krevetten/
  Garnelen
16 gekochte Blaumuscheln
  in der Schale
1 Baby-Ananas
10–12 Litschis
3 EL fein gehackte Petersilie

1 Die Zwiebel schälen und fein hacken. Den Lauch und den Fenchel putzen und in Streifen schneiden. Die Karotte und die Kartoffeln schälen, würfeln. Bei den Pelati den Stielansatz entfernen, grob hacken. Die Fischfilets kalt abspülen, in mundgerechte Stücke schneiden. Die Limonenschale möglichst dünn abschälen, in Streifchen schneiden. Eine Limonenhälfte auspressen.

2 Die Zwiebeln zusammen mit den Safranfäden und dem Cayennepfeffer in der Butter andünsten. Lauch, Karotten und Fenchel einige Minuten mitdünsten. Die Kartoffeln beifügen. Mit dem Fischfond und dem Wasser aufgiessen. Tomaten mit Saft, Kräuter und Salz beifügen, aufkochen und bei schwacher Hitze 20 Minuten köcheln lassen.

3 Weisswein, Hummerfond, Limonensaft, Ingwer und Fischstücke zur Suppe geben, aufkochen, 5 Minuten bei schwacher Hitze gar ziehen lassen.

4 Die Ananas schälen, die Noppen mit einem spitzen Messer herauslösen, die Frucht halbieren und den holzigen Strunk herausschneiden, das Fruchtfleisch würfeln. Die Schale der Litschis mit einem Obstmesser oder mit den Fingern aufbrechen, die Frucht herausschälen und den Samen entfernen.

5 Krevetten, Muscheln und Ananas in der Suppe erwärmen. Abschmecken.

6 Die Suppe in vorgewärmten Tellern anrichten. Die Litschis darauf legen. Mit der Limonenschale und der Petersilie garnieren.

* Beim Fischhändler oder im Comestibles erhältlich.

Fleisch – Fisch

Petersilienwurzel-Cremesuppe
mit Brät-Pilz-Klösschen

2 EL Butter
400 g Petersilienwurzeln
2 Schalotten oder
1 kleine Zwiebel
1 dl/100 ml trockener Weisswein
1 l Gemüsebrühe
1 dl/100 g Rahm/süsse Sahne
Meersalz
Pfeffer aus der Mühle

Brät-Pilz-Klösschen
2 EL Olivenöl extra vergine
200 g Kalbfleischbrät
100 g Champignons
1 EL fein gehackte glattblättrige
  Petersilie
1 Msp Pilzpulver
Meersalz
Pfeffer aus der Mühle
Gemüsebrühe zum Pochieren

1 Die Petersilienwurzeln schälen und zerkleinern. Die Schalotten fein hacken.

2 Petersilienwurzeln und Schalotten in der Butter andünsten. Den Weisswein angiessen, einige Minuten köcheln lassen. Mit der Gemüsebrühe aufgiessen, aufkochen und bei schwacher Hitze köcheln lassen, bis das Gemüse gar ist. Pürieren.

3 Für die Klösschen die Champignons fein hacken, im Olivenöl andünsten. abkühlen lassen. Pilze, Brät, Petersilie und Pilzpulver vermengen, mit Salz und Pfeffer würzen.

4 Die Gemüsebrühe in einer weiten Pfanne aufkochen. Von der Brätmasse mit einem Kaffeelöffel Klösschen abstechen, in der Gemüsebrühe pochieren, 5 bis 7 Minuten, mit einem Schaumlöffel herausnehmen und auf die Suppenteller verteilen.

5 Die Petersiliencremesuppe mit dem Rahm aufkochen, mit Salz und Pfeffer abschmecken, zu den Klösschen geben.

3/4-1 l Gemüse- oder
  Fleischbrühe
2 Karotten
1 kleine Zwiebel
100 g grüne Erbsen
10 getrocknete chinesische
  Morcheln
30 g Glasnudeln
200 g Truthahnbrust
weisser Pfeffer aus der Mühle
1 Prise Szetschuanpfeffer
Sojasauce

1 Die chinesischen Morcheln waschen und etwa 15 Minuten in lauwarmem Wasser einlegen und quellen lassen. Dann mit kaltem Wasser überbrausen. Die harten Stiele entfernen, die Pilze klein schneiden.

2 Die Glasnudeln in kaltem Wasser einweichen, in einem Sieb abtropfen lassen, eventuell klein schneiden.

3 Die Karotten und die Zwiebel schälen und in feine Scheiben schneiden.

4 Das Fleisch in feine Streifen schneiden. Mit weissem Pfeffer, Szetschuanpfeffer und Sojasauce würzen, 10 Minuten marinieren.

5 Die Gemüse- oder Fleischbrühe aufkochen, Karotten, Zwiebeln, Erbsen und Morcheln dazugeben, bei schwacher Hitze 5 Minuten köcheln lassen. Die Glasnudeln zusammen mit dem Fleisch zur Suppe geben, 2 bis 3 Minuten gar ziehen lassen. Abschmecken.